? les dinosaures

Collection dirigée par Philippe Nessmann

Iconographie : Sidonie Reboul
Maquette : Hélène Lemaire, Julie Mathieu

Loi n° 49-956 du 16 juillet 1949 sur les publications destinées à la jeunesse
1ère édition : octobre 2008
Édition brochée n° M11011-01
Dépôt légal : février 2011
ISBN : 978 2 7404 2822 1 - MDS : 60399
Photogravure : Turquoise

Imprimé en Chine par Book Partners en novembre 2010

les dinosaures

Textes de Philippe Nessmann
Illustrations de Patrick Chenot

MANGO *JEUNESSE*

Sommaire

Dans tout le livre, pour simplifier l'écriture des dates, on remplacera parfois « millions d'années » par « MA » : 65 millions d'années s'écrira alors 65 MA.

CONNAÎTRE LES DINOSAURES

Les derniers dinosaures ont disparu il y a 65 millions d'années. C'est-à-dire 60 millions d'années AVANT que les ancêtres des hommes n'apparaissent sur Terre. Dans ces conditions, comment peut-on être sûr qu'ils ont vraiment existé ? Comment sait-on à quoi ils ressemblaient, alors que personne n'en a jamais vu ?

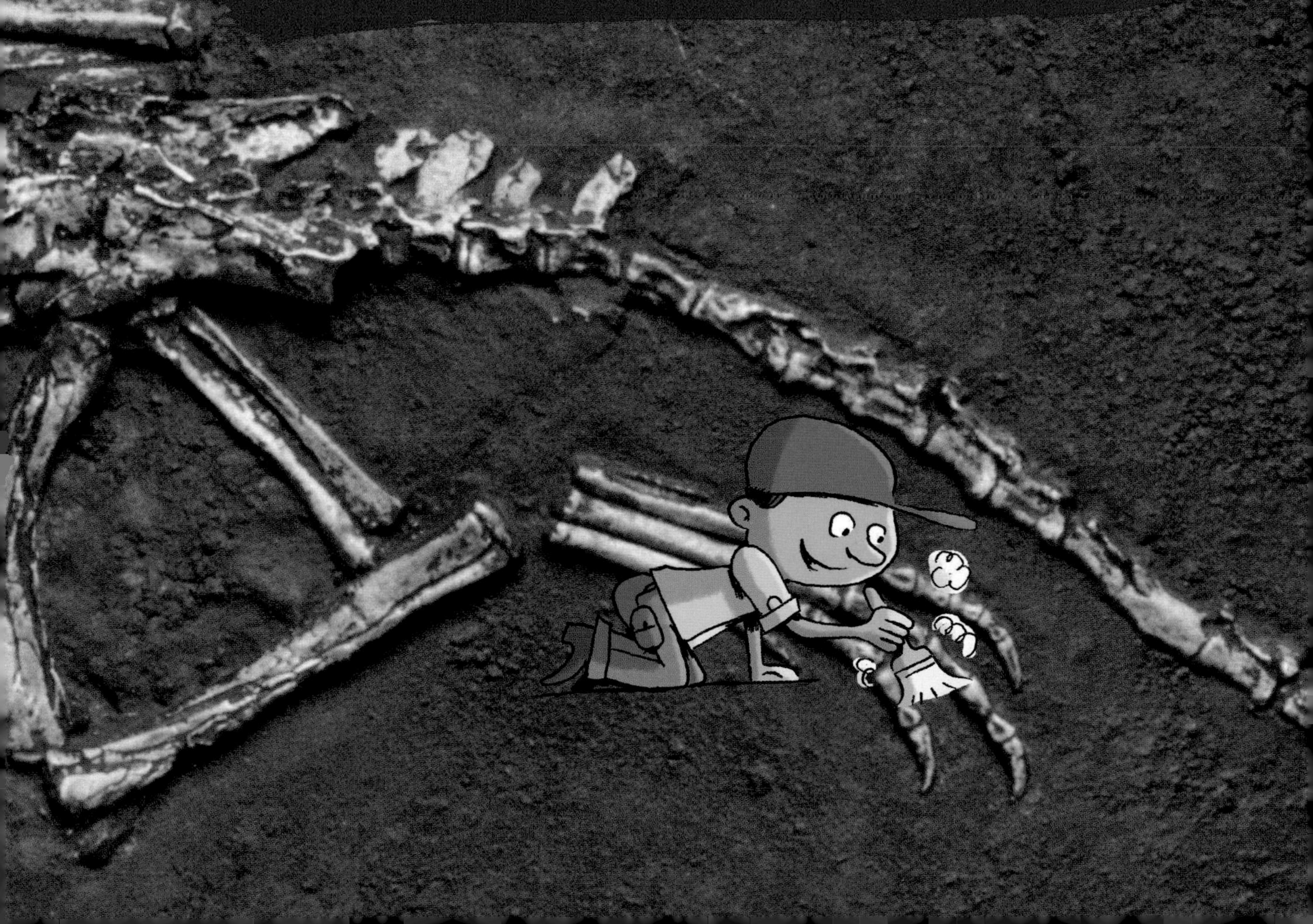

LES PREMIÈRES DÉCOUVERTES

Voici comment, en 1854, on imaginait les dinosaures : un mélange de crocodile et d'hippopotame ! À l'époque, il était bien difficile de s'en faire une idée plus précise : on ne possédait d'eux que quelques os et quelques dents.

La naissance des dinosaures

Une mâchoire...

En 1824, le naturaliste anglais William Buckland observa une mâchoire fossile trouvée près d'Oxford. Elle lui rappelait celle d'un lézard, en beaucoup plus grande. Du coup, il baptisa l'animal *Megalosaurus*, « grand lézard » en grec.

... et des dents

Au même moment, le médecin britannique Gideon Mantell découvrit des dents immenses. Elles n'appartenaient à aucun animal connu. Comme elles se rapprochaient de celles d'un iguane, il appela la bestiole *Iguanodon*, « dent d'iguane ».

Vrai ou faux ?
En grec, dinosaure signifie « gentil lézard ».

Faux. Au contraire : le terme « dinosaure » a été créé à partir de *deino* (« terrible ») et de *sauros* (« lézard »). C'est donc un lézard terrible !

L'invention du « dinosaure »

Et si le *Megalosaurus* et l'*Iguanodon* appartenaient au même groupe d'animaux : des reptiles géants disparus depuis fort longtemps ? C'est ce que pensa en 1842 l'Anglais Richard Owen, qui inventa le mot « dinosaure » pour les désigner.

La « dinomania »

Des sculptures approximatives de dinosaures furent exposées à Londres (voir la photo de gauche). Ces monstres connurent un grand succès et, bien vite, de nombreux chercheurs se mirent en quête d'autres fossiles de dinosaures.

LES PALÉONTOLOGUES

Les paléontologues sont les scientifiques qui s'intéressent aux êtres ayant vécu il y a très longtemps. Pour cela, ils étudient ce qui reste des animaux et des plantes du passé : les fossiles découverts sous terre.

Au travail !

Où trouver un fossile ?

Très souvent, les fossiles sont découverts par hasard. Mais, grâce à leurs connaissances des roches et des lieux où d'autres fossiles ont été trouvés, les paléontologues savent où chercher pour multiplier les chances de découvertes.

Le sais-tu ?
Le paléontologue qui découvre une nouvelle espèce a le droit de la baptiser. Le nom peut être lié au lieu de la découverte (comme l'*Argentinosaurus*, en Argentine), au nom du découvreur (*Abelisaurus*, par Roberto Abel) ou encore à une caractéristique de l'animal (*Triceratops*, « tête à trois cornes »).

Le travail de terrain

Un fossile ! Le paléontologue le dégage avec un marteau, parfois même avec un marteau piqueur. Mais attention, les os fossilisés sont fragiles. Avant de les envoyer au laboratoire, il faut soigneusement les emballer dans un bandage de plâtre.

Au laboratoire

Dans son labo, le paléontologue finit d'enlever la roche qui entoure le fossile. Il nettoie les os et recolle ceux qui étaient brisés. Il se demande ensuite à quelle partie de l'animal ils correspondent. Proviennent-ils d'une espèce déjà connue ?

Reconstitution

S'il s'agit d'une nouvelle espèce, le paléontologue essaie de savoir à quelle famille de dinosaure l'animal se rattache, à quoi il pouvait ressembler, à quelle époque il existait, ce qu'il devait manger, comment il vivait…

LES FOSSILES

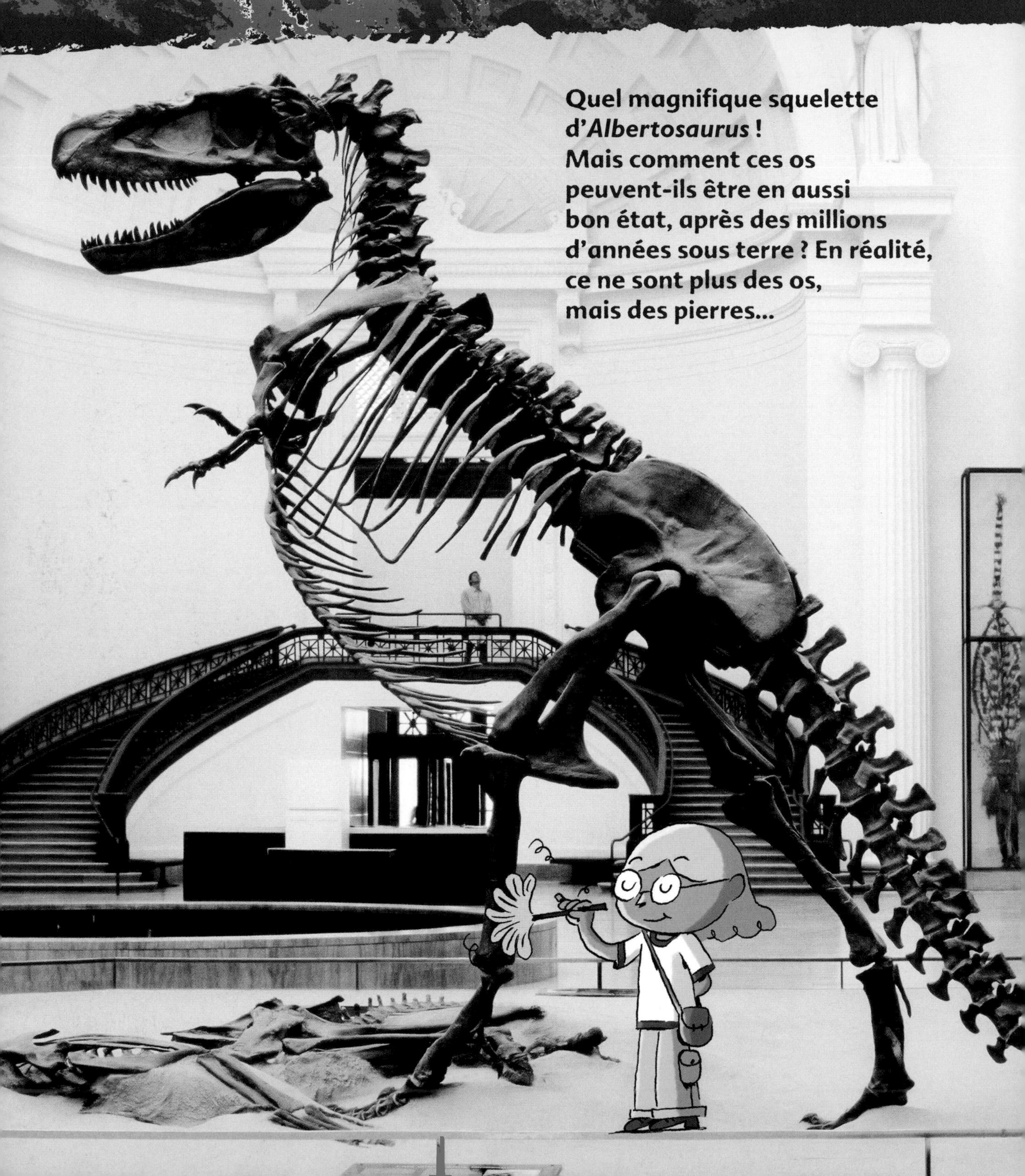

Quel magnifique squelette d'*Albertosaurus* ! Mais comment ces os peuvent-ils être en aussi bon état, après des millions d'années sous terre ? En réalité, ce ne sont plus des os, mais des pierres...

Découvre la fossilisation

1 Récupère l'os de la cuisse. Lave-le bien en le grattant avec une éponge et du liquide vaisselle.

Il te faut :
- des os de poulet (après un repas)
- un verre
- une cartouche d'encre
- du ruban adhésif

2 Fais-le sécher cinq minutes au micro-ondes. Ne te brûle pas !

Vrai ou faux ?
Il existe des crottes fossilisées de dinosaures.

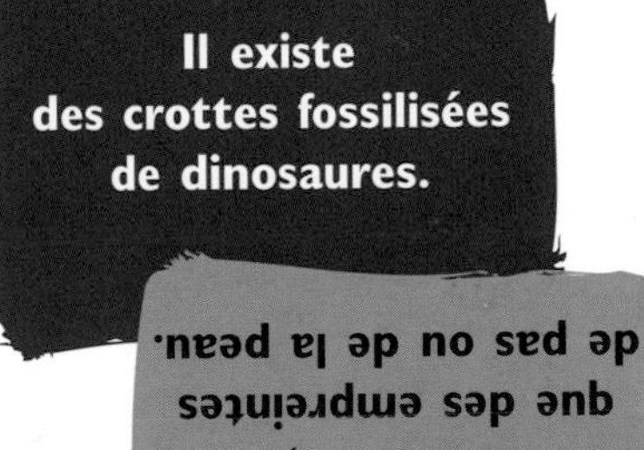

3 Verse l'encre de la cartouche dans le verre, puis rajoute de l'eau pour le remplir à moitié. Mets l'os dans le verre.

4 Colle un morceau de ruban pour repérer le niveau de l'eau, puis attends une nuit. Le niveau a-t-il un peu baissé ?

Le niveau a baissé car l'os a absorbé de l'encre, un peu comme une éponge ! Certains fossiles se forment de cette manière. Supposons qu'un dinosaure meurt au bord d'une rivière. Parfois, du sable recouvre son cadavre. La peau et les muscles pourrissent et disparaissent. Restent les os. Au fil des siècles, le sable durcit et se transforme en roche. L'eau qui s'infiltre arrache alors de microscopiques grains de cette roche. L'eau pénètre dans l'os, comme ton encre, et y dépose ses grains. Petit à petit, l'os se remplit des grains de roche et devient lui-même une roche.

QU'EST-CE QU'UN DINOSAURE ?

Cet animal inquiétant est un varan. Il vit actuellement en Indonésie. Serait-ce un dinosaure survivant ? Non, ce n'est qu'un lézard. Mais au fait, quelle différence existe-t-il entre les deux ?

Teste un dino !

Il te faut :
- de la pâte à modeler
- huit allumettes

1 Malaxe la pâte pour faire deux boules de la taille d'une prune.

2 Dans une boule, plante quatre allumettes bien parallèles, pour faire des pattes.

3 Dans l'autre boule, plante les quatre autres allumettes, comme sur le dessin.

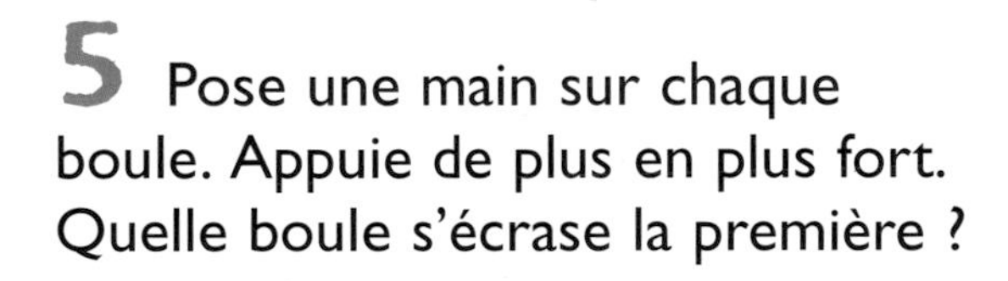

4 Sur une table, pose les deux boules sur leurs pattes.

5 Pose une main sur chaque boule. Appuie de plus en plus fort. Quelle boule s'écrase la première ?

La boule avec les pattes écartées s'écrase la première. L'autre résiste mieux. Il y a la même différence entre un lézard et un dinosaure qu'entre tes deux boules de pâte à modeler. Chez un lézard, les pattes sont disposées sur les côtés : cela ne permet pas de supporter un poids très lourd. Chez les dinosaures, elles étaient situées en dessous du corps : c'est plus solide. Grâce à cette position des pattes, il a pu y avoir des dinosaures pesant plusieurs dizaines de tonnes.

Vrai ou faux ?
Les dinosaures et les lézards sont des reptiles.

Vrai. Dinosaures, lézards, crocodiles, tortues et serpents sont des reptiles. Ce sont des cousins plus ou moins éloignés les uns des autres.

EN OS ET... EN CHAIR

Les paléontologues ont retrouvé des squelettes fossilisés, mais jamais de chair. Pour obtenir l'image complète d'un dinosaure, il faut imaginer les muscles qui entouraient ses os. Cela ne se fait pas n'importe comment...

Observe un descendant des dinos

Il te faut :
- du pain
- du papier
- un crayon
- un adulte

1 Avec un adulte, va dans un jardin où il y a des oiseaux : pigeons, moineaux, poules…

2 Donne-leur du pain pour les attirer.

3 Essaie de dessiner une de leurs pattes. Combien y a-t-il de doigts à l'avant et à l'arrière ? Par quoi se termine chaque doigt ? La peau est-elle lisse ?

Le sais-tu ?

Pour manger les feuilles des arbres, les dinosaures sauropodes (vois page 30) tendaient leur long cou. Leurs gestes devaient sans doute ressembler à ceux des girafes actuelles, même s'il n'y a aucun lien de parenté entre eux.

4 Observe la patte du *Velociraptor*, page 52. Combien a-t-il de doigts ? Qu'y a-t-il au bout de chaque doigt ? Comment est la peau ?

Les pieds d'un oiseau et d'un *Velociraptor* se ressemblent. Ce n'est pas un hasard : les oiseaux sont les descendants de dinosaures ! Pour savoir à quoi pouvaient ressembler les dinosaures et comment ils vivaient, les paléontologues observent les animaux actuels qui leur ressemblent le plus, comme les oiseaux ou les reptiles. Par exemple, ils examinent la forme de leurs muscles et comment ils sont attachés aux os. Ils essaient d'en déduire la forme des muscles des dinosaures.

DES FAMILLES DE DINOS

Avec leur bec de canard, ces trois espèces de dinosaures se ressemblent drôlement ! Elles font partie de la même famille : les hadrosauridés. Il existe entre elles le même air de famille qu'entre un cheval et un zèbre, ou entre un chat et un tigre.

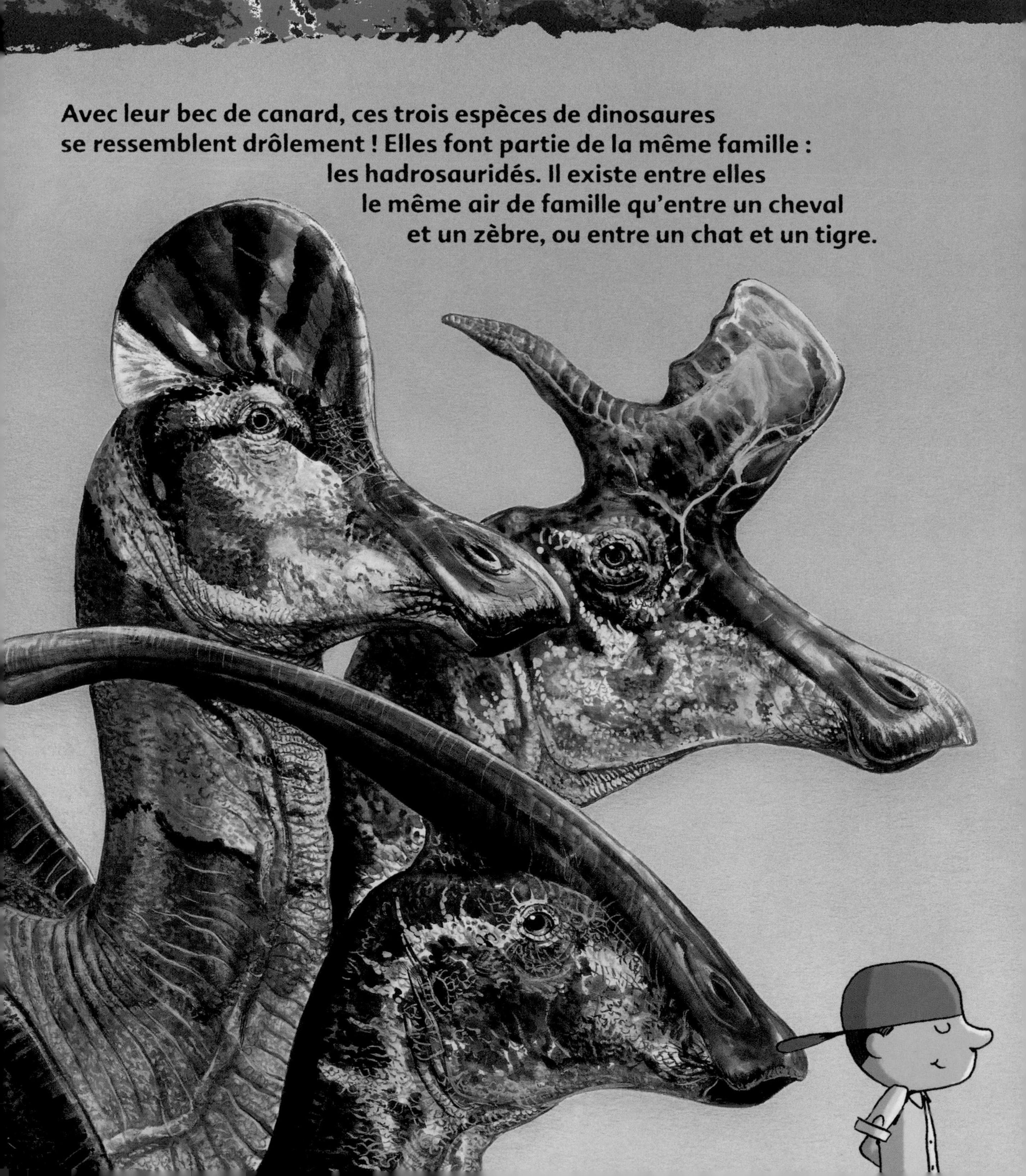

Joue au jeu des familles de dinos

1 Découpe les douze cartes de la photocopie.

Il te faut :

- une photocopie couleur de la page 89
- des ciseaux

2 Observe les ressemblances et les différences entre les animaux. Sauras-tu former les quatre familles de trois dinosaures chacune ?

À ton avis

Combien existe-t-il d'espèces de dinosaures ?

Environ 700 espèces ont été découvertes. Mais la fossilisation d'un animal est rare. De nombreuses espèces ne sont connues que par quelques os. Et des centaines d'autres ont dû disparaître sans même laisser de traces.

Les dinosaures 1, 7 et 9 font partie de la famille des nodosauridés. Les 2, 6 et 11 sont des tyrannosauridés. Les 3, 5 et 12, des diplodocidés. Et les 4, 8 et 10, des thérizinosauridés. Au départ, les paléontologues ont classé les dinosaures dans deux groupes : ceux dont le bassin rappelle celui d'un lézard (les « saurischiens ») et ceux dont le bassin rappelle celui des oiseaux (les « ornithischiens »). Ces deux groupes ont à leur tour été divisés en groupes plus petits, puis en groupes encore plus petits… pour finir avec les familles. Cela donne une sorte d'arbre où chaque dinosaure trouve sa place, en fonction de sa ressemblance avec les autres (voir page 85).

QUAND ONT-ILS VÉCU ?

Jolie montagne ! Vois-tu, horizontalement, les bandes de roche blanche et rose ? Ça s'appelle des strates. Grâce aux strates de la terre, les paléontologues savent quand les dinosaures ont vécu.

Visualise les strates

1 Dans le verre, verse du sucre sur un centimètre de hauteur. Étale bien.

Il te faut :
- un verre
- du sucre
- du riz cru
- de la farine
- de la semoule crue
- du sel

Le sais-tu ?

L'époque des dinosaures est appelée « ère secondaire ». Elle est divisée en trois périodes :
- **le Trias (de –250 MA à –200 MA)**
- **le Jurassique (de –200 MA à –145 MA)**
- **le Crétacé (de –145 MA à –65 MA)**

2 Rajoute un centimètre de riz, puis de farine, puis de semoule, puis de sel. Regarde le verre par le côté. Que vois-tu ?

À travers le verre, tu vois les différentes épaisseurs. Le sol sous nos pieds s'est formé ainsi : les couches de terre les plus anciennes ont été recouvertes par des couches plus récentes. En les étudiant, les paléontologues n'ont découvert aucun fossile de dinosaure dans les couches de plus de 250 millions d'années (le sucre de l'expérience). Dans la couche de 250 à 200 MA (le riz), il y avait des fossiles d'*Eoraptor* ou de *Coelophysis*. Dans celle de 200 à 145 MA (la farine), des fossiles de *Diplodocus* ou de *Stegosaurus*. Dans celle de 145 à 65 MA (la semoule), des fossiles de *Triceratops* ou de *Tyrannosaurus*. Enfin dans les couches de moins de 65 MA (le sel), aucun fossile de dinosaure. Les dinosaures sont donc apparus il y a moins de 250 MA et ont disparu il y a 65 MA.

UN MONDE EN ÉVOLUTION

Ce coquillage fossilisé est une ammonite. Elle a vécu à une époque où les dinosaures n'existaient même pas encore. C'est dans la mer que la vie est apparue et s'est développée. Une très longue histoire...

La vie, des débuts à aujourd'hui

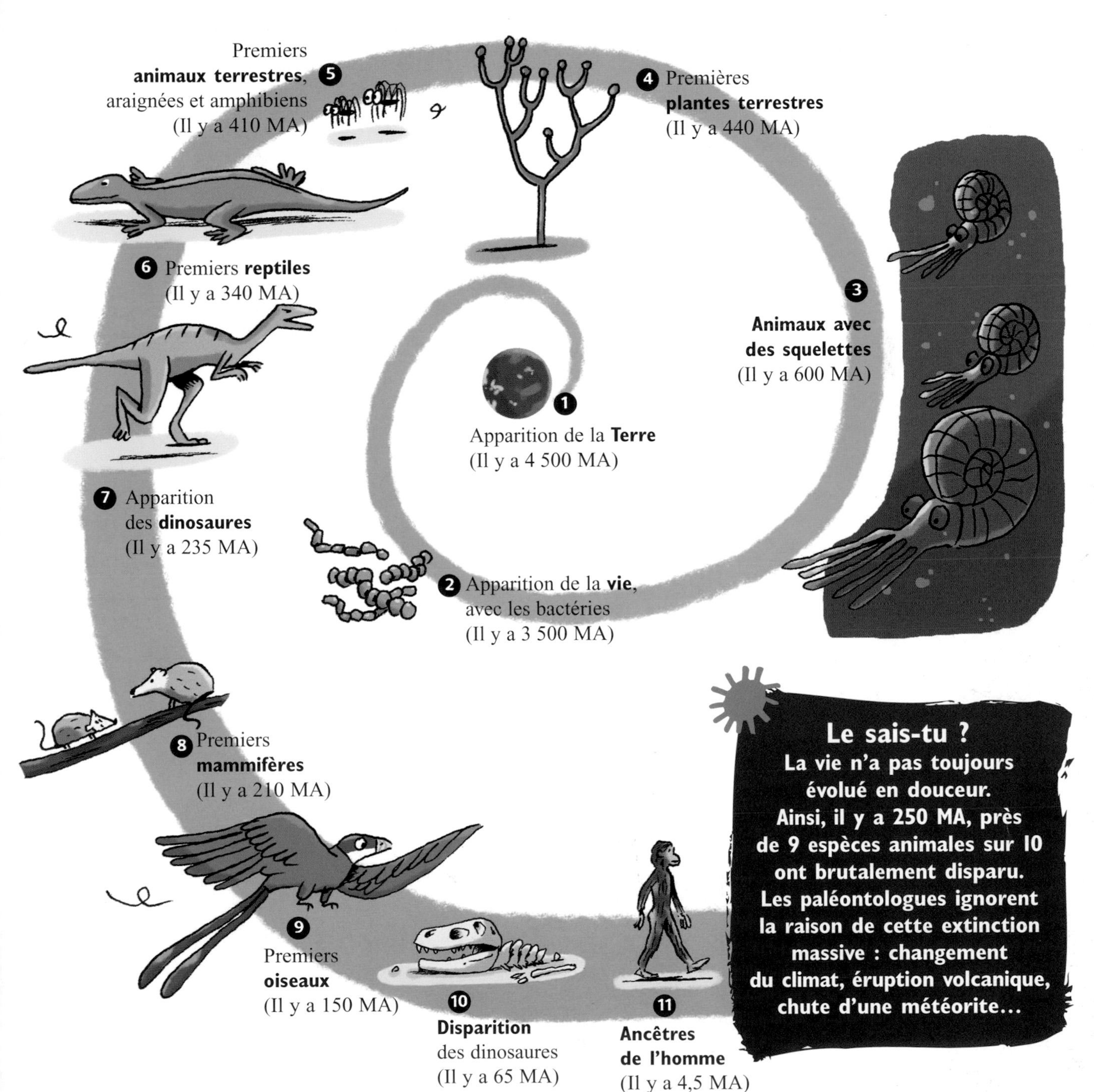

Le sais-tu ?

La vie n'a pas toujours évolué en douceur. Ainsi, il y a 250 MA, près de 9 espèces animales sur 10 ont brutalement disparu. Les paléontologues ignorent la raison de cette extinction massive : changement du climat, éruption volcanique, chute d'une météorite...

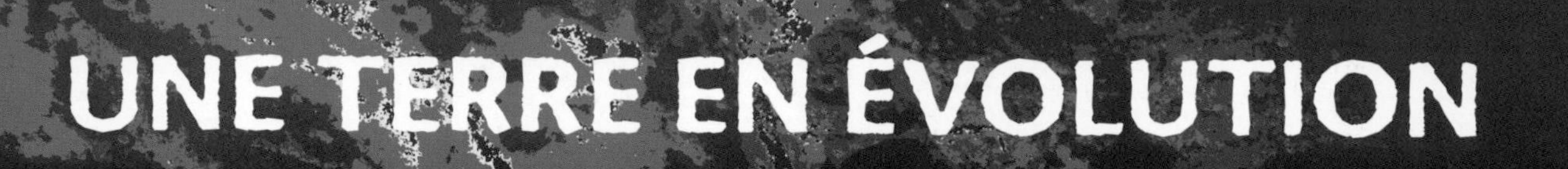

UNE TERRE EN ÉVOLUTION

Des fossiles de *Massospondylus* ont été retrouvés à la fois en Afrique et en Amérique.
Comment ce dinosaure est-il passé d'un continent à l'autre ? À la nage ? Non, à pied sec ! À l'époque où il vivait, ces deux continents étaient rattachés.

Rassemble les continents

1 Pose le papier calque sur la carte. Trace le contour de l'Amérique du Sud.

Il te faut :
- une carte du monde
- du papier calque
- un stylo
- des ciseaux

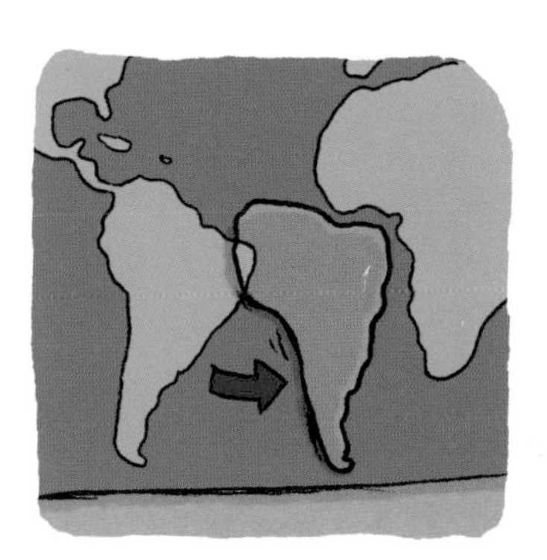

2 Découpe le calque pour conserver la forme de l'Amérique du Sud.

Vrai ou faux ?
Aucun fossile de dinosaure n'a été retrouvé en Europe.

Faux. Environ 90 espèces différentes ont été découvertes en Europe (dont *Iguanodon*), 250 en Amérique (dont *Tyrannosaurus*), 180 en Asie (dont *Oviraptor*), 50 en Afrique (dont *Brachiosaurus*) et moins de 20 en Australie.

3 Pose le calque de l'Amérique du Sud sur la carte, à sa place. Fais-le glisser vers la droite, sous l'Afrique. S'emboîte-t-il bien ?

L'Amérique du Sud s'emboîte parfaitement sous l'Afrique. Un vrai puzzle ! Il y a 200 millions d'années, tous les continents étaient collés ensemble et formaient un seul continent, appelé Pangée. Le *Massospondylus* a pu se déplacer à la fois en Afrique et en Amérique. Ensuite, à cause des mouvements de la croûte terrestre, les continents n'ont cessé de bouger les uns par rapport aux autres.

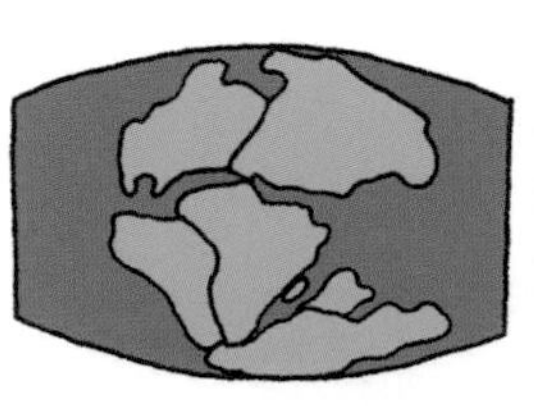

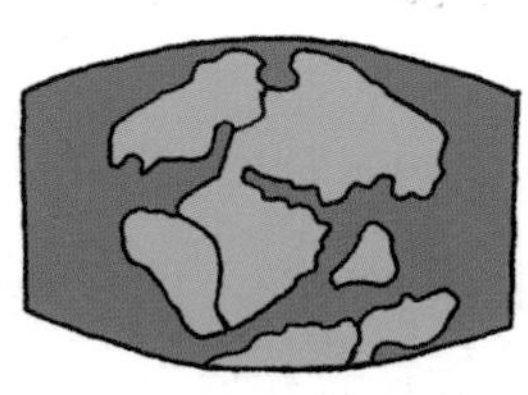

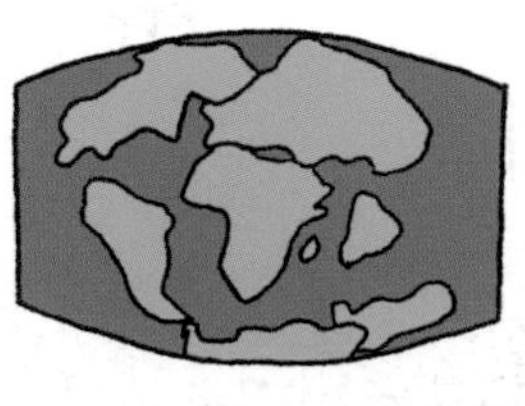

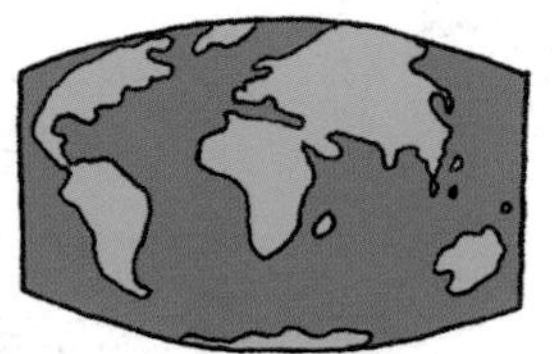

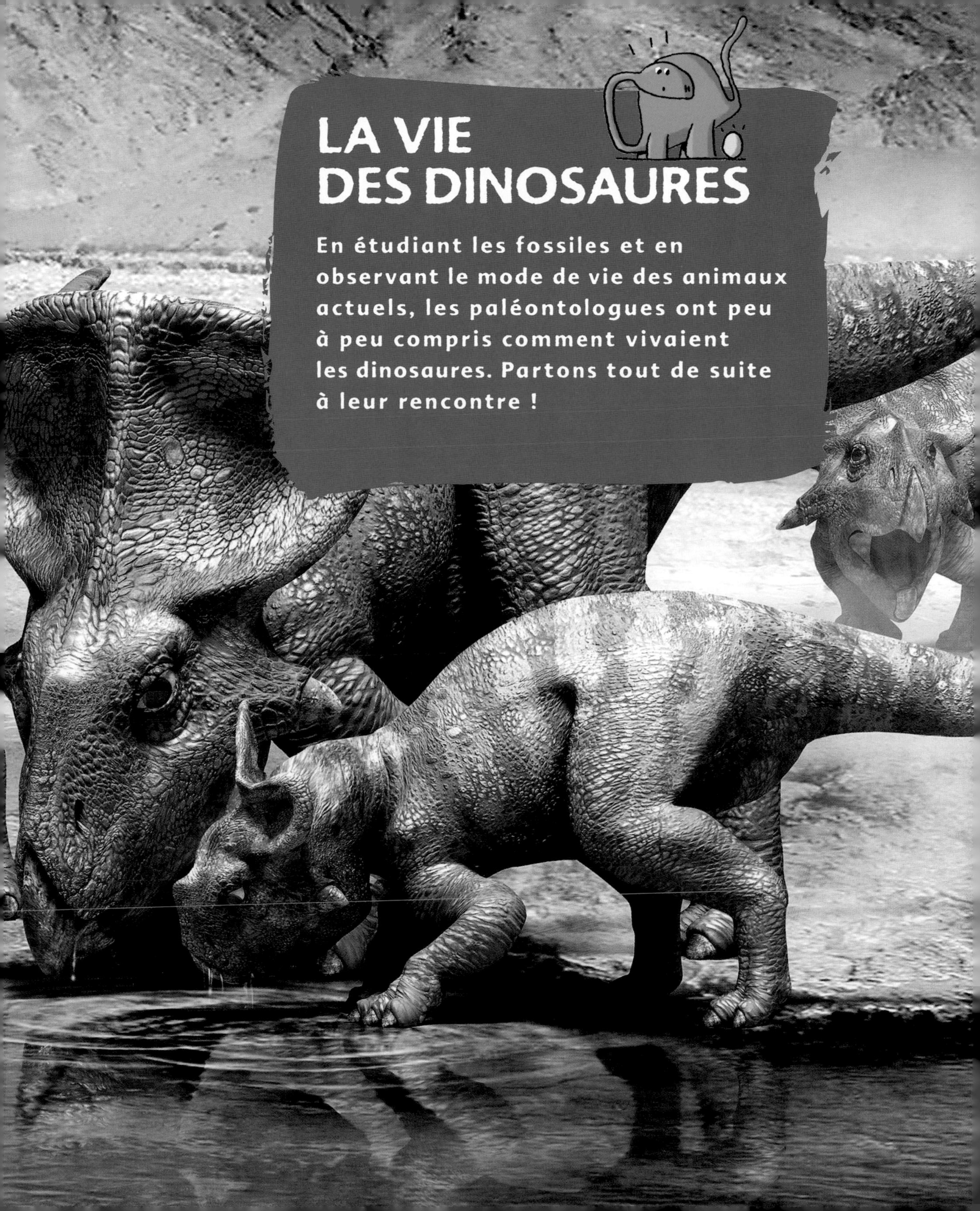

LA VIE DES DINOSAURES

En étudiant les fossiles et en observant le mode de vie des animaux actuels, les paléontologues ont peu à peu compris comment vivaient les dinosaures. Partons tout de suite à leur rencontre !

OÙ VIVAIENT-ILS ?

Ces arbres sont en réalité des fougères géantes qui poussent actuellement en Nouvelle-Zélande. Les premiers dinosaures ont sans doute vécu dans un paysage comme celui-ci. Par la suite, les plantes ont beaucoup changé.

L'évolution des plantes

Fougères et conifères

Au Trias et au Jurassique, l'herbe et les plantes à fleurs n'existaient pas encore. Les forêts étaient constituées de fougères géantes, de conifères, de prêles ou de cycas. Les dinosaures herbivores broutaient les feuilles des arbres.

L'apparition des fleurs

Au Crétacé, les premières plantes à fleurs apparurent. Elles poussaient vite et s'adaptaient facilement. Le paysage changea alors et se rapprocha de ce que nous connaissons aujourd'hui, avec de l'herbe, des noyers, des platanes, des magnolias…

À ton avis
Qu'est-ce qu'un ginkgo ?

C'est un arbre qui existait déjà il y a 270 millions d'années, bien avant les dinosaures. Il a survécu à tous les changements climatiques et existe aujourd'hui encore. Il est d'ailleurs surnommé « l'arbre fossile ».

Différents climats

Comme aujourd'hui, le climat et les plantes n'étaient pas les mêmes au bord des mers et au centre des terres. Et il a évolué au cours du temps : chaud et sec au Trias, il s'est refroidi à la fin du Jurassique et au début du Crétacé, pour se réchauffer ensuite.

À chacun son milieu

Les dinosaures se sont adaptés à leur milieu et au climat dans lequel ils vivaient. Au Jurassique, *Diplodocus* dévorait les cimes des arbres. Au Crétacé, *Protoceratops* habitait un milieu désertique et *Spinosaurus* les marécages.

OÙ NAISSAIENT-ILS ?

Coucou le bébé dino ! Cette maquette montre l'intérieur d'un œuf de *Therizinosaurus*. Les dinosaures naissaient dans des œufs, comme aujourd'hui encore les lézards, les crocodiles et les oiseaux…

Du nid à la naissance...

La ponte

Le dinosaure préparait un nid : un simple trou dans le sable pour certains ; garni de feuilles pour d'autres. Puis la femelle pondait ses œufs. Des nids retrouvés en Chine contenaient chacun une vingtaine d'œufs de 20 cm de long.

La couvaison

Certaines espèces de petits dinosaures, comme l'*Oviraptor*, couvaient leurs œufs à la manière d'une poule. Mais pas les géants de plusieurs tonnes : un *Diplodocus* assis sur ses œufs en aurait fait une omelette !

Le sais-tu ?

Les paléontologues ont découvert de nombreux œufs de dinosaures fossilisés. Mais il est très difficile de savoir à quelle espèce ils appartiennent. C'est le cas lorsque des os fossilisés de nouveau-nés ont été retrouvés à proximité du nid, ce qui est rare.

La naissance

À la naissance, les bébés dinosaures devaient souvent se débrouiller seuls. Mais certaines espèces s'occupaient de leur progéniture. C'est le cas du *Maiasaura* « reptile bonne mère » : les nids retrouvés prouvent qu'il apportait à manger à ses petits.

En pleine croissance !

Les bébés dinosaures n'étaient jamais très grands. À la naissance, un tyrannosaure mesurait environ 45 cm et pesait 2 kg : moins qu'un bébé humain ! Trente ans plus tard, il mesurait 12 m de long et pesait 6 tonnes…

VIVAIENT-ILS EN GROUPE ?

Aujourd'hui, certaines espèces animales vivent en groupe, comme les éléphants. Chez d'autres, les individus restent le plus souvent seuls, comme les léopards. Et les dinosaures, vivaient-ils en troupeaux ?

Plusieurs raisons de vivre ensemble

Quelques preuves

Les traces de pas fossilisés de plusieurs *Apatosaurus*, les nids rapprochés de *Maiasaura* ou encore les gisements d'os de *Coelophysis* laissent penser que ces espèces de dinosaures vivaient en groupe.

Ensemble pour se défendre

Pour les herbivores, vivre en groupe permettait de se protéger contre les carnivores. Lorsqu'ils étaient attaqués, les *Triceratops* se mettaient peut-être en cercle, les cornes tournées vers l'extérieur, les petits à l'abri à l'intérieur.

Le sais-tu ?

Les *Pachycephalosaurus* avaient un crâne osseux en forme de casque. Les mâles s'affrontaient sans doute tête contre tête, pour savoir qui serait le plus fort… et donc qui serait le chef !

Ensemble pour attaquer

Pour les petits prédateurs, il n'était pas facile de s'attaquer à plus gros que soi. Certaines espèces, comme les *Coelophysis*, devaient chasser en meute, à la manière des loups.

Ensemble pour se reproduire

Toutes les espèces ne vivaient pas en groupe, mais chez toutes, les individus se retrouvaient pour se reproduire. La crête des *Dilophosaurus*, présente chez les mâles, devait plus servir à séduire les femelles qu'à se défendre.

CRIAIENT-ILS ?

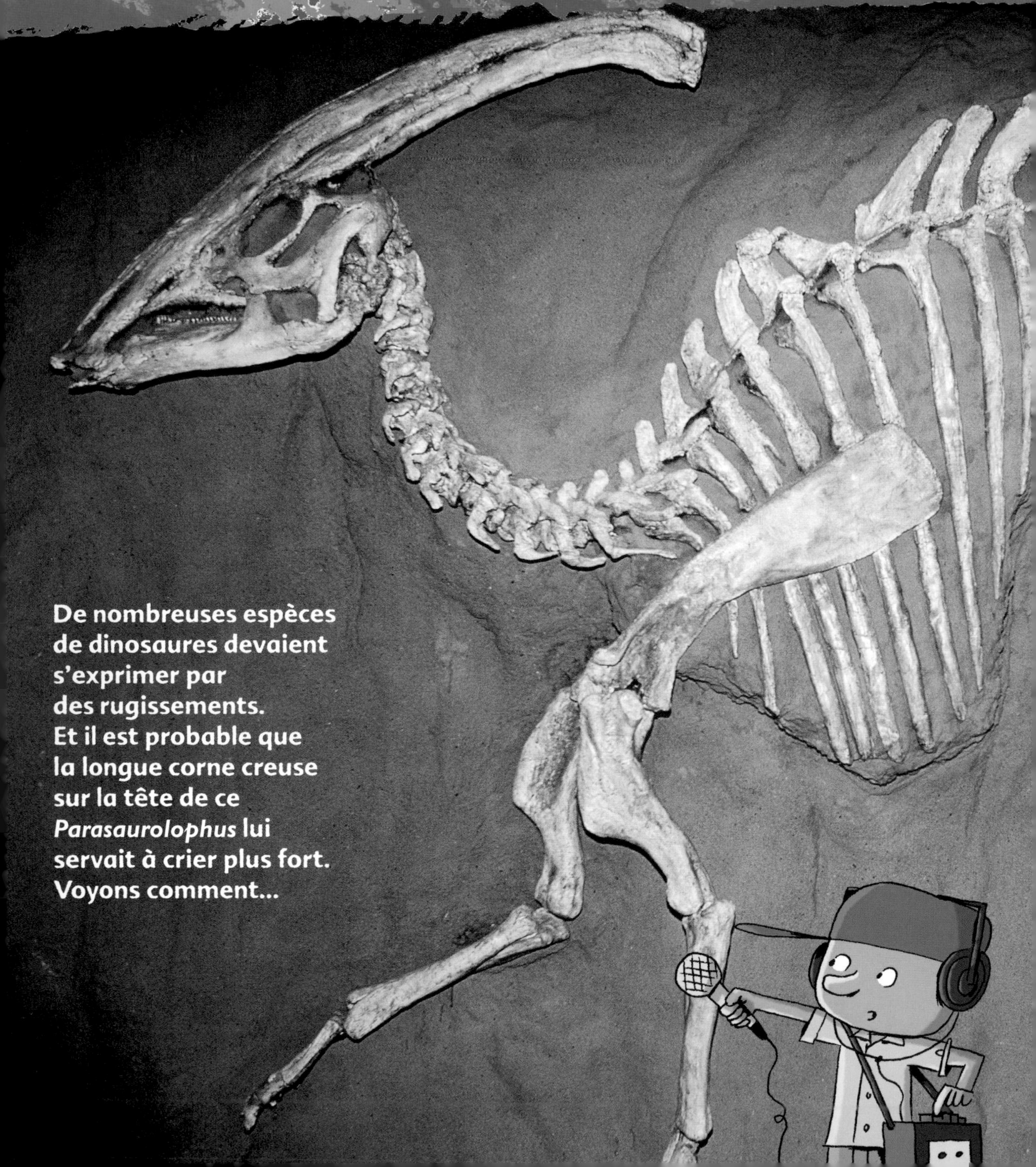

De nombreuses espèces de dinosaures devaient s'exprimer par des rugissements. Et il est probable que la longue corne creuse sur la tête de ce *Parasaurolophus* lui servait à crier plus fort. Voyons comment…

Crie comme un dino !

Il te faut :
- une bouteille de soda vide
- un couteau pointu
- un adulte

1 Demande à un adulte de découper, avec le couteau, le fond de la bouteille.

2 Mets le goulot en bouche, pose tes mains sur la bouteille et pousse un cri : « Rrrrrr ! ».

3 Sens-tu vibrer la bouteille ?

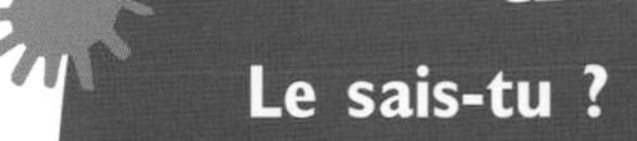

Le sais-tu ?

Les chercheurs ont essayé de reproduire le cri du *Parasaurolophus* en faisant passer de l'air dans une corne en plastique semblable à celle du dinosaure. Le bruit obtenu ressemble à une sirène de bateau.

4 Refais le même cri sans la bouteille. Le son est-il aussi fort ?

En rugissant dans la bouteille, tu la sens vibrer. Et le son paraît plus fort avec la bouteille que sans elle. Les paléontologues pensent que la corne creuse sur la tête du *Parasaurolophus* devait lui servir à mieux faire résonner ses cris. Peut-être même était-il capable de chanter… En tout cas, lorsqu'un carnivore s'approchait d'un troupeau de *Parasaurolophus*, le premier qui l'apercevait poussait un grand cri pour prévenir ses camarades du danger.

ÉTAIENT-ILS BÊTES ?

Avec une si petite tête sur un si gros corps, ce *Barosaurus* ne devait pas être bien futé ! Les dinosaures ont la réputation de ne pas être très intelligents. Mais étaient-ils si bêtes que ça ?

Pèse ton cerveau !

1 Avec l'aide d'un adulte, fixe le ballon sous un robinet et tiens-le par en dessous.

Il te faut :
- un ballon de baudruche
- une balance
- un adulte

2 Ouvre le robinet. Lorsque tu penses que le ballon a la taille de ta tête, arrête l'eau.

3 Demande à l'adulte de fermer le ballon. Pose-le sur la balance. Le résultat est à peu près ce que pèse ton cerveau !

Vrai ou faux ?
Les dinosaures herbivores étaient généralement moins intelligents que les carnivores.

Vrai. Brouter une plante immobile nécessite moins de réflexes et d'adresse que traquer une proie. Les dinosaures qui chassaient en meute étaient sans doute les plus intelligents de tous.

Dans un cerveau, il y a des neurones, mais surtout beaucoup d'eau. Un cerveau pèse donc à peu près autant qu'un ballon d'eau de même taille.

En général, celui d'un adulte pèse entre 1,1 et 1,8 kilogramme. En mesurant le vide à l'intérieur du crâne des dinosaures, les paléontologues ont estimé le volume puis la masse de leur cervelle. Résultat : le *Stegosaurus*, gros comme un minibus, avait un cerveau de la taille d'une noix, dix fois plus léger que le tien ! C'est peu comparé au cerveau d'un humain, mais proportionnellement comparable au cerveau des reptiles actuels.

COMBIEN MESURAIENT-ILS ?

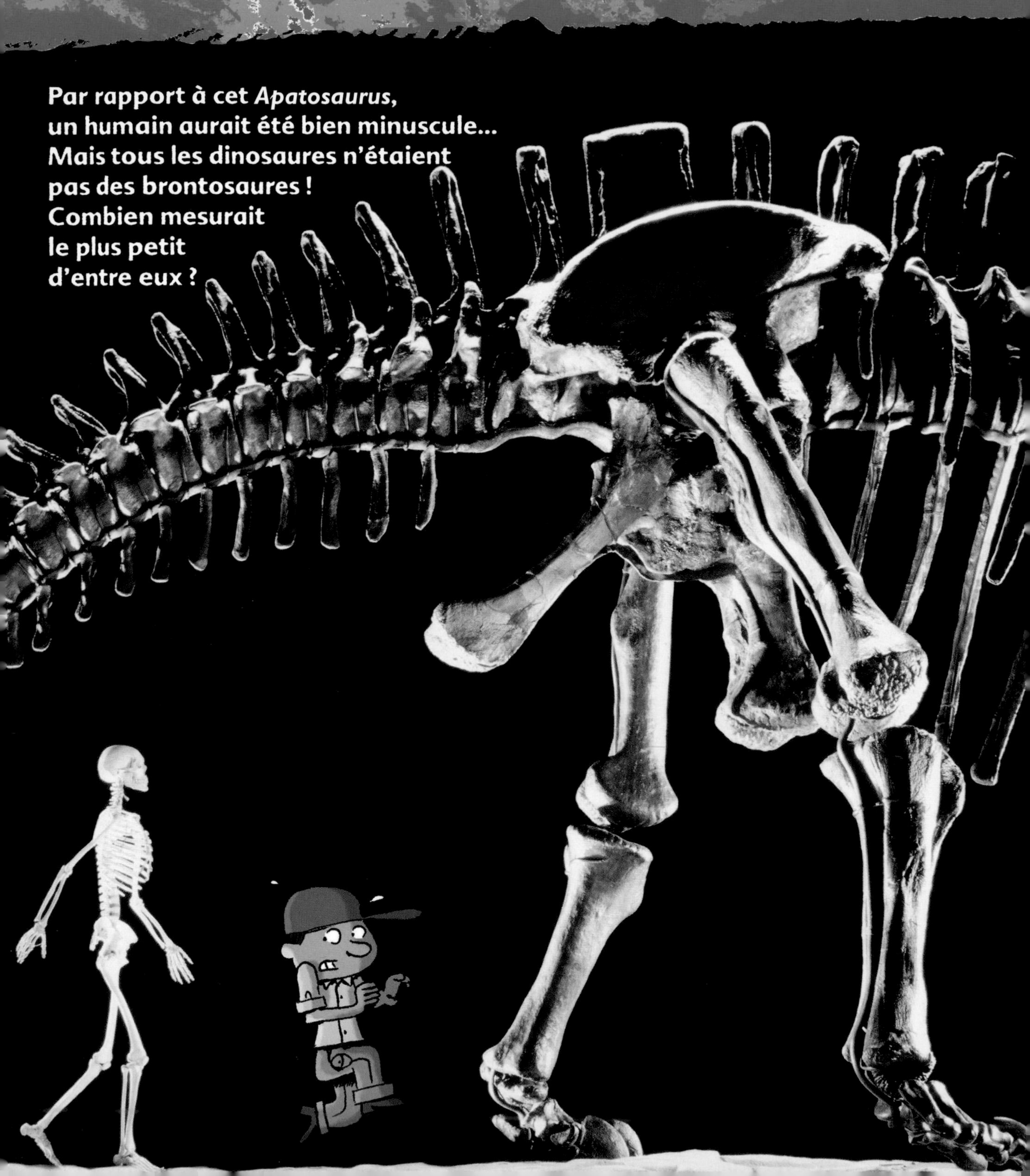

Par rapport à cet *Apatosaurus*, un humain aurait été bien minuscule... Mais tous les dinosaures n'étaient pas des brontosaures ! Combien mesurait le plus petit d'entre eux ?

Fais-toi peur !

1 Parmi les peluches, cherches-en une qui fasse environ 40 centimètres de haut.

Il te faut :
- une règle
- un personnage de type Playmobil®
- des peluches

2 Pose sur le bord d'une table le personnage et la peluche à côté.

Records du monde !

L'*Argentinosaurus*, découvert en 1989, serait le plus grand dinosaure de tous les temps. Avec son allure de *Diplodocus*, il pourrait avoir mesuré 40 mètres de long (la longueur d'un terrain de handball) et pesé 80 tonnes (l'équivalent de dix éléphants).

3 Accroupis-toi pour avoir les yeux à quelques centimètres du personnage. Regarde-le pendant quelques secondes. Puis regarde la peluche : elle te paraîtra monstrueusement énorme !

Si un homme avait la taille d'un Playmobil®, un *Tyrannosaurus* serait grand comme ta peluche. Et les dinosaures les plus longs, comme le *Diplodocus* auraient la longueur d'un manche à balai ! Impressionnant, n'est-ce pas ? Mais tous les dinosaures n'étaient pas des géants. Certains, comme le *Mussaurus*, étaient hauts comme un homme. Le *Velociraptor*, lui, avait la taille d'un chien actuel. Et les plus petits, comme le *Microraptor*, celle d'une poule.

COURAIENT-ILS VITE ?

Il y a des millions d'années, un dinosaure est passé par là. Il a laissé les empreintes de ses pas dans la boue. Celle-ci a ensuite durci et les traces sont restées. Cela fournit aux paléontologues de précieuses informations.

Laisse ton empreinte !

1 Cherche un endroit cimenté ou un trottoir bitumé où, si tu marches avec des bottes mouillées, on voit tes traces de pas.

Il te faut :
- une bassine d'eau
- des bottes en caoutchouc
- un copain

2 Ferme les yeux. Demande à ton copain de mouiller les bottes dans la bassine, puis de marcher dix pas en ligne droite.

Vrai ou faux ?
Un tyrannosaure courait aussi vite qu'une voiture.

Faux. Grâce à des simulations sur ordinateur, l'équipe du paléontologue Phil Manning a déterminé qu'il ne devait pas dépasser 30 km/h, la vitesse d'un coureur. En revanche, le petit *Compsognathus*, gros comme un poulet, dépassait 60 km/h, plus rapide qu'une autruche !

3 Il doit revenir et mouiller à nouveau les bottes. Puis courir dans la même direction que tout à l'heure, mais juste à côté.

4 Ouvre les yeux : devine quelles sont les traces de la marche et celles de la course ?

Quand on court, on ne pose pas le talon par terre, et les pas sont plus espacés. Il est assez facile de faire la différence entre des traces de marche et de course. Les empreintes de pas fossilisées d'un dinosaure sont très instructives, elles aussi. La forme du pied permet de savoir à quel groupe de dinosaures il appartient. La profondeur de la trace et la taille permettent de savoir combien pesait l'animal et sa hauteur. Et l'écartement entre deux pas permet d'estimer sa vitesse au moment où il passait par là.

DE NOMBREUX MYSTÈRES...

Avec sa crête noire et ses plumes colorées, ce *Caudipteryx* semble s'être échappé d'un bal costumé ! Mais les plumes de ce curieux dinosaure étaient-elles vraiment bleues et rouges ?

Quelques énigmes

Le visage des dinos

Quelques empreintes fossilisées de peau, de plumes ou de poils de dinosaures ont été retrouvées, mais elles sont extrêmement rares. Le véritable visage des dinosaures et leurs couleurs restent un mystère. Voilà pourquoi, d'un livre à l'autre, une même espèce peut être représentée de façon assez différente, en fonction de l'artiste qui l'a dessinée.

Sang froid ou sang chaud ?

Un animal est dit « à sang chaud » lorsque la température de son corps est constante : c'est le cas des oiseaux ou des mammifères. Sinon, il est dit « à sang froid » : c'est le cas des lézards ou des poissons. Et les dinosaures ? Les paléontologues hésitent toujours. Il se pourrait que cela dépende de l'espèce.

Tout peut changer

En 1877, l'Américain Marsh étudia une espèce de dinosaure et l'appela *Apatosaurus*. Deux ans plus tard, il trouva une autre espèce, nommée *Brontosaurus*. Bien plus tard, d'autres savants démontrèrent qu'il s'agissait d'une seule et même espèce : le nom *Brontosaurus* dut donc disparaître… En paléontologie, chaque nouvelle découverte peut bouleverser les précédentes. Qui sait ce que l'avenir nous réserve ?

À ton avis

Qu'est-ce qu'un *Archaeoraptor* ?

C'est une arnaque ! En 1999, un intéressant fossile fut découvert. Plusieurs scientifiques crurent à une nouvelle espèce, mi-dinosaure, mi-oiseau. En réalité, c'était un faux fossile, fabriqué à partir de deux vrais fossiles.

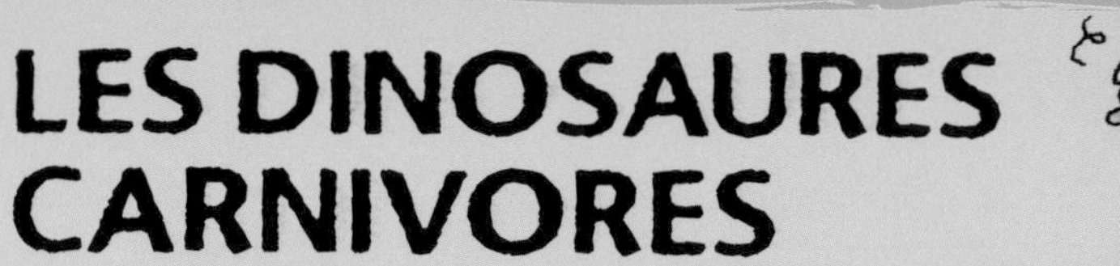

LES DINOSAURES CARNIVORES

À ma gauche, un tyrannosaure affamé. À ma droite, un stégosaure qui n'a pas envie de servir de casse-croûte ! Tous les dinosaures ne mangeaient pas la même chose. Intéressons-nous d'abord à ceux qui dévoraient de la viande… Sans faire trop de bruit !

LES MANGEURS DE VIANDE

Devinette : que mangeait ce *Tarbosaurus* pour son dîner, de la salade verte ou de la viande ? Vu ses crocs, de la viande, bien sûr. Mais lorsque les paléontologues ne retrouvent pas le crâne d'un dinosaure, comment savent-ils ce qu'il mangeait ?

Les indices

Les dents

Les dinosaures carnivores avaient des dents pointues et plates, dirigées vers l'arrière de la gueule. Des petites crénelures en faisaient de vraies scies. Elles servaient à tuer les proies puis à arracher la viande.

Les griffes

En l'absence du crâne d'un dinosaure, les paléontologues s'intéressent aux griffes. Celles des carnivores étaient, comme leurs dents et pour les mêmes raisons, pointues et aiguisées.

Le sais-tu ?

Les dinosaures carnivores font partie d'un groupe appelé « théropode ». À l'intérieur de ce groupe se trouvent notamment les familles des ornithomimidés, des oviraptoridés, des droméosauridés, des tyrannosauridés...

Différents plats

Tous les carnivores ne mangeaient pas de la viande. Certains ne dédaignaient pas les œufs des autres dinosaures. Et ce *Baryonyx*, avec sa bouche et ses dents de crocodile, appréciait le poisson.

Cas douteux

L'alimentation de certains dinosaures pose problème. À cause de ses longues griffes, on a longtemps cru le *Therizinosaurus* carnivore. En fait, il semblerait qu'elles lui servaient à attraper les plantes.

EORAPTOR, L'ANCÊTRE

Ni très grand, ni très méchant, ni très étonnant : à première vue, *Eoraptor* ne semble pas très intéressant. Il l'est pourtant : c'est en effet l'un des tout premiers dinosaures qui ait existé.

Le voleur de l'aube

Eoraptor, avec ses pattes placées sous le corps, était un vrai dinosaure. Il courait sur ses pattes arrière, qui se terminaient par trois doigts. Mesurant à peine un mètre de long, il avait de fines dents et se nourrissait de lézards ou d'insectes. Il a vécu il y a environ 230 millions d'années.

NOM : ***Eoraptor***
FAMILLE : pas de famille
LIEU : Amérique du Sud (Argentine)
PÉRIODE : Trias supérieur

Remarque : *Eoraptor* signifie « chasseur de l'aube ». L'aube symbolise ici le début de l'ère des dinosaures…

D'autres dinosaures concourent pour le titre de plus ancien dinosaure : le carnivore *Herrerasaurus* retrouvé en Argentine, un végétarien découvert à Madagascar en 1999… Dans la classification des dinosaures, tous font partie du groupe des Saurischiens.

Il doit exister un dinosaure encore plus ancien qu'*Eoraptor*, qui serait l'ancêtre de tous les dinosaures, Saurischiens comme Ornithischiens. Les savants recherchent sa trace dans les roches vieilles de 240 millions d'années.

LES « DINOSAURES AUTRUCHES »

Ce *Gallimimus* fait partie de la famille des ornithomimidés, « ceux qui imitent les oiseaux ». Et comme ces dinosaures couraient vite, ils sont surnommés « dinosaures autruches ».

Rapides et omnivores

Comme les oiseaux actuels, *Gallimimus* avait un bec dépourvu de dents. Ses grands yeux sur les côtés de la tête lui permettaient de voir derrière sans tourner la tête. Ses pattes avant servaient à gratter le sol à la recherche de nourriture.

Ses jambes, taillées pour la course, en faisaient un dinosaure très rapide : jusqu'à 60 km/h. Sa vitesse lui servait plus à fuir les prédateurs qu'à chasser des proies. Sans défense, il était en effct un mets de choix pour les carnivores.

Les repas de *Gallimimus* étaient composés de lézards, de graines, d'insectes et de végétaux. Contrairement à la majorité des autres dinosaures, qui étaient soit carnivores soit herbivores, il mangeait donc de tout : il était omnivore.

NOM : ***Gallimimus***
FAMILLE : ornithomimidés
LIEU : Asie (Mongolie)
PÉRIODE : fin du Crétacé

Remarque : plusieurs membres de la famille des ornithomimidés ont des noms d'oiseaux : *Gallimimus* signifie « celui qui imite la poule », *Struthiomimus* « celui qui imite l'autruche », *Pelecanimimus* « celui qui imite le pélican »...

OVIRAPTOR, LE MAL NOMMÉ

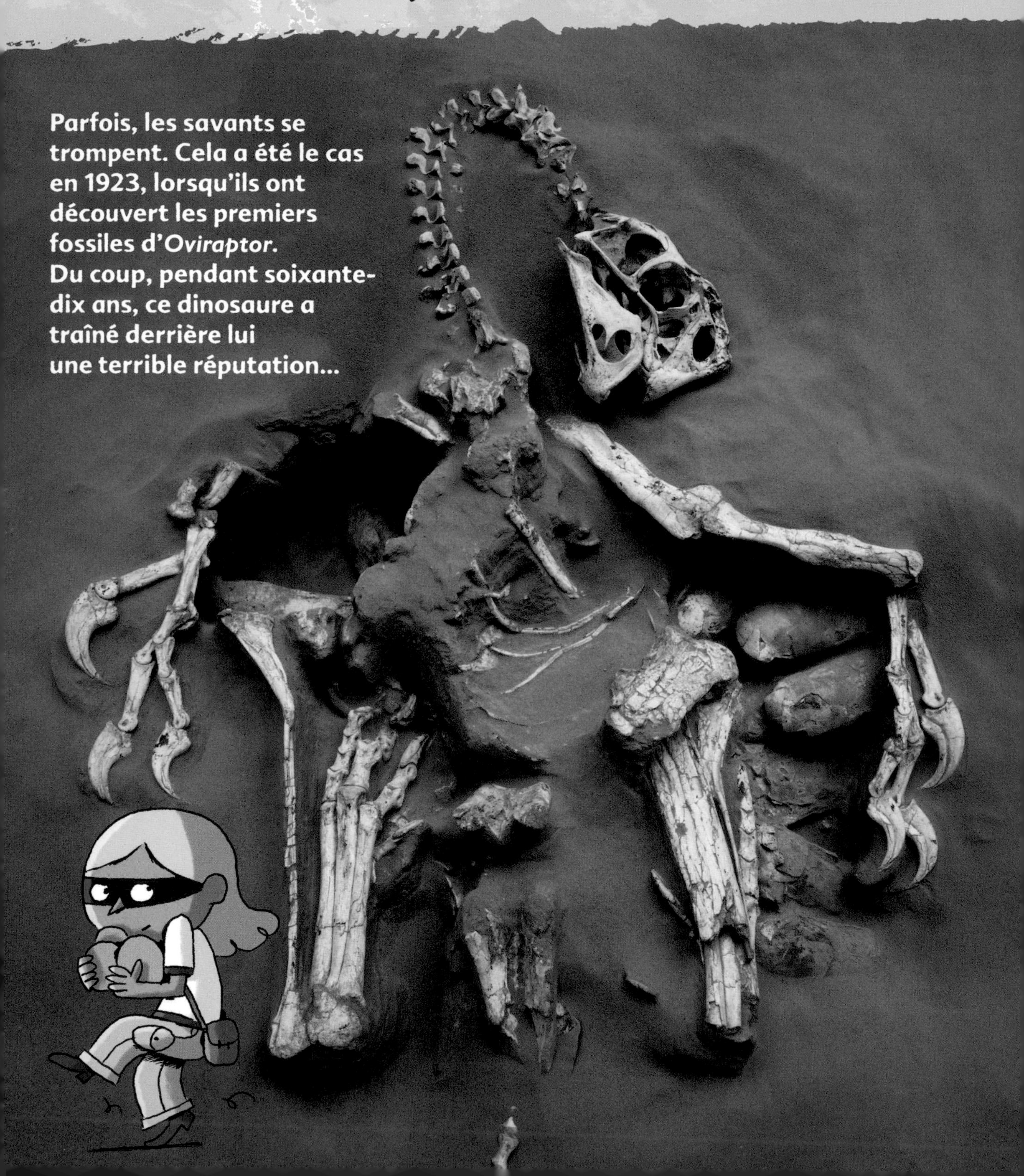

Parfois, les savants se trompent. Cela a été le cas en 1923, lorsqu'ils ont découvert les premiers fossiles d'*Oviraptor*. Du coup, pendant soixante-dix ans, ce dinosaure a traîné derrière lui une terrible réputation...

Victime d'une erreur

Oviraptor a été découvert en 1923 dans le désert de Gobi. Long de 1,8 m, il avait un bec et une sorte de crête en os au-dessus de la tête. Ses longs bras, terminés par des griffes, devaient lui permettre d'attraper et de déchirer ses aliments.

Le nom d'*Oviraptor* lui a été donné car, à côté du premier squelette découvert, une pile d'œufs a été retrouvée (on cru alors que c'était ceux de *Protoceratops*). Comme il était en train de les voler pour les manger, il a été baptisé *Oviraptor*, le « voleur d'œufs ».

NOM : *Oviraptor*
FAMILLE : oviraptoridés
LIEU : Asie (Mongolie)
PÉRIODE : fin du Crétacé

Remarque : en 2005, un nouveau cousin de la famille a été découvert en Mongolie, *Gigantoraptor*, qui mesurait 8 m de haut. Immense !

La vérité a été rétablie en 1990 : d'autres fossiles d'*Oviraptor* ont été trouvés… accroupis sur des œufs. Les paléontologues ont alors compris que le tout premier individu découvert n'était pas en train de voler les œufs d'un autre mais de couver les siens !

VELOCIRAPTOR, LE TUEUR

Le *Velociraptor* était l'un des plus redoutables chasseurs. Mais pourquoi, lorsqu'il posait sa patte par terre, prenait-il soin de maintenir une griffe vers le haut ? Était-il coquet ?

Tout pour la chasse

Velociraptor était petit : 1,8 m de long, moins de 1 m de haut, environ 25 kg. Mais il était un grand chasseur. Sa griffe était une arme redoutable : quand il sautait sur une proie, il la lui plantait dedans. Et pour qu'elle reste tranchante, il la relevait lorsqu'il courait.

NOM : ***Velociraptor***
FAMILLE : dromæosauridés
LIEU : Asie (Chine, Mongolie)
PÉRIODE : fin du Crétacé

Remarque : les raptors du film *Jurassic Park* s'inspirent des *Velociraptor*, même s'ils y apparaissent bien plus grands qu'ils ne l'étaient en réalité.

Ses atouts de chasseur : outre sa griffe, *Velociraptor* était rapide (son nom signifie « voleur rapide ») et plus intelligent que la moyenne. Il avait une mâchoire puissante et des dents pointues. Enfin, l'union faisant la force, il chassait en meute.

Un fossile incroyable a été découvert en 1971 : il montre un *Velociraptor* attaquant un *Protoceratops*. Ses mains attrapent la tête du *Protoceratops* et la griffe de son pied gauche est plantée dans le cou de sa proie, pour l'égorger. Tous deux ont été ensevelis, en plein combat, sous une dune de sable.

TYRANNOSAURUS, LE ROI

Voici le plus célèbre des dinosaures carnivores. Son nom complet : « *Tyrannosaurus rex* », le « lézard-tyran roi ». Mais était-il si terrible que cela ?

Roi ou pas roi ?

NOM : ***Tyrannosaurus***
FAMILLE : tyrannosauridés
LIEU : Amérique de Nord
PÉRIODE : fin du Crétacé

Remarque : en plus des proies qu'il chassait, *Tyrannosaurus* devait aussi manger les cadavres de dinosaures trouvés sur sa route. C'était un charognard.

Le tyrannosaure mesurait 6 m de haut, 12 m de long et pesait 6 tonnes. À côté, un homme ne lui serait pas arrivé à la cuisse. Sa mâchoire énorme, pourvue de dents atteignant 30 cm de long, pouvait arracher 35 kg de viande en une bouchée. Terrible !

Pourtant, à cause de son poids, le tyrannosaure ne devait courir ni très vite ni très longtemps : il n'était peut-être pas si bon chasseur que cela. Et il n'était pas le plus grand des carnivores : *Giganotosaurus* était plus long et plus lourd que lui.

La légende du roi tyrannosaure date de 1905. L'un des découvreurs, pour faire connaître sa trouvaille, écrivit un article sur « le roi des rois, le monstre le plus agile de sa génération, une machine à tuer qui régnait sur des herbivores deux fois plus gros ». Le début du mythe…

LES DINOSAURES HERBIVORES

Ce paisible sauropode n'aurait pas fait de mal à une mouche. Et pour cause : il ne mangeait que des végétaux. Gros ou petits, protégés par une carapace ou par des cornes, sur deux ou quatre pattes, les dinosaures herbivores ont pris des formes très variées. En voici quelques exemples…

LES MANGEURS DE PLANTES

Compare les dents de ce *Parasaurolophus* avec celles du *Tarbosaurus*, page 44. Pas de doute : ils ne mangeaient pas la même chose. Avec ses dents plates, le *Parasaurolophus* mastiquait des plantes.

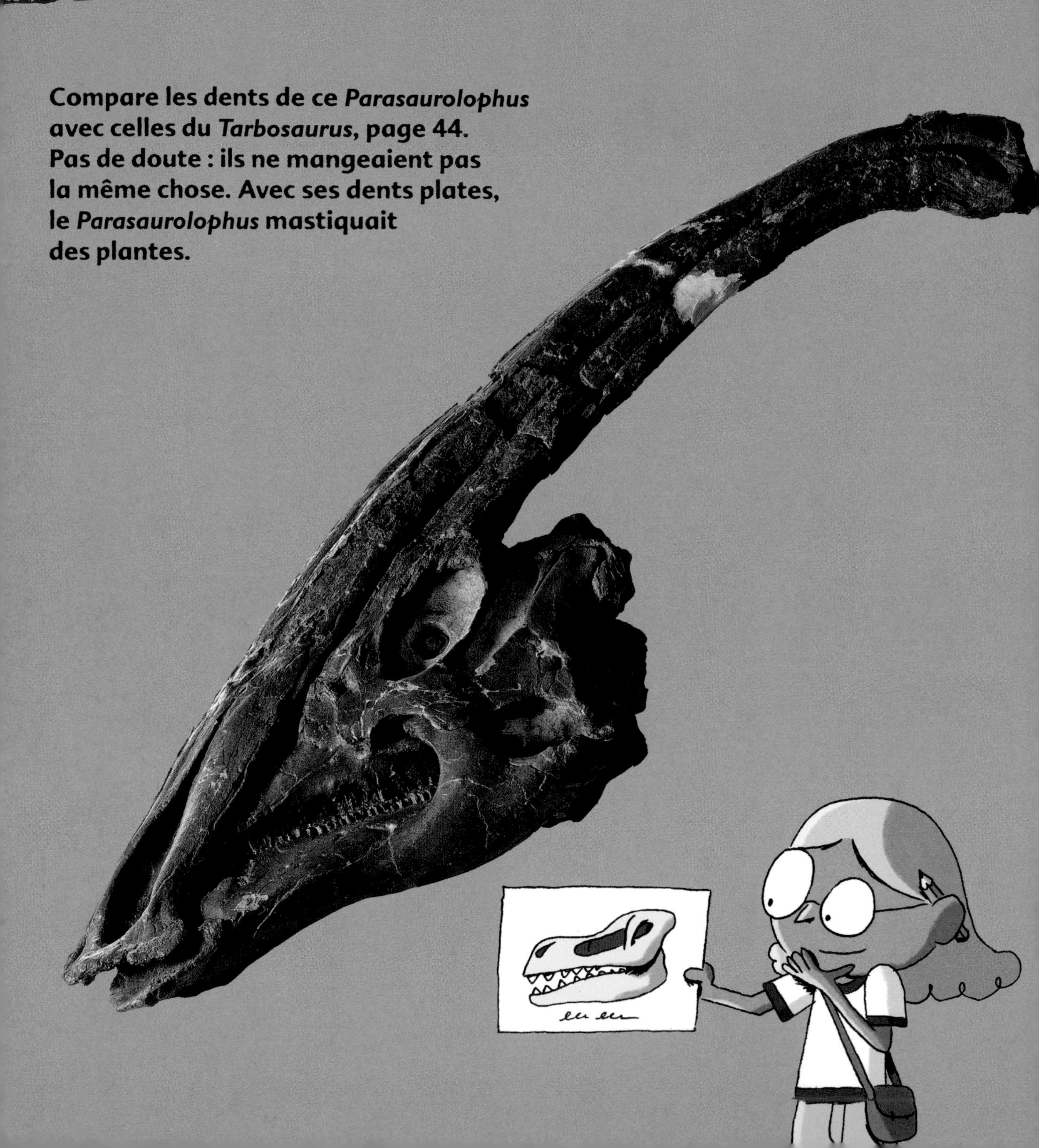

Des indices

Des dents pour arracher

Les herbivores avaient différentes formes de dents, en fonction de l'espèce : en forme de spatule chez le *Brachiosaurus*, de feuille chez le *Stegosaurus*. Celles du *Parasaurolophus* râpaient les plantes les plus coriaces.

Un gros ventre

Les plantes sont plus difficiles à digérer que la viande. Les herbivores avaient besoin d'un estomac plus gros et d'un intestin plus long que les carnivores. La taille du ventre donne des indications sur l'alimentation d'un dinosaure.

Le sais-tu ?

Les poules, qui mangent notamment des graines, avalent des petits cailloux pour les aider à digérer. Tout comme les dinosaures herbivores !

Des cailloux dans le ventre

Certains herbivores avalaient des pierres pour les aider à digérer. Ballottées à l'intérieur de l'estomac, elles broyaient les végétaux. La découverte de « gastrolithes » sur un fossile indique qu'il s'agissait d'un herbivore.

Deux ou quatre pattes ?

Tous les carnivores marchaient sur deux pattes. Les herbivores, eux, pouvaient être soit bipèdes soit quadrupèdes. Si tu vois un dinosaure sur quatre pattes, il est forcément herbivore.

BRACHIOSAURUS, LE GÉANT

Avec ses 80 tonnes, ce brachiosaure est l'un des animaux les plus lourds qui aient jamais marché sur terre. Là où il passait, les plantes mettaient du temps à repousser !

Haut comme une maison

***Brachiosaurus* signifie « lézard à bras »,** car ses pattes avant étaient plus longues que les pattes arrière. Du coup, sa tête pouvait atteindre une hauteur de 12 m. Il pouvait ainsi brouter les cimes des arbres qu'aucun autre dinosaure n'atteignait.

Les paléontologues ont longtemps cru que les brachiosaures étaient trop lourds pour vivre sur la terre ferme : ils pensaient que l'animal se serait écroulé sous son propre poids. Ils l'imaginaient donc marchant au fond de lacs, avec juste la tête hors de l'eau.

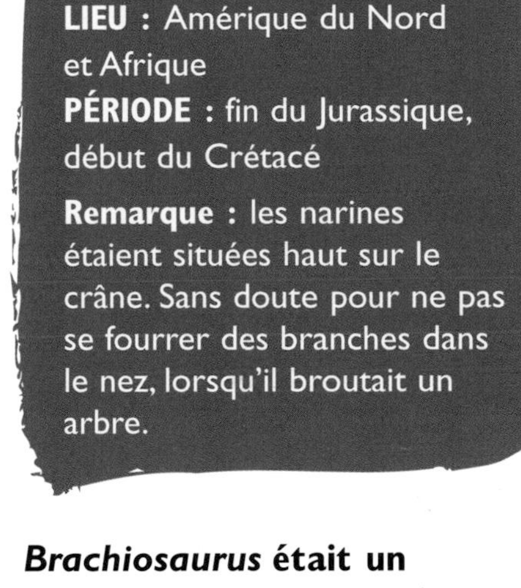

NOM : ***Brachiosaurus***
FAMILLE : brachiosauridés
LIEU : Amérique du Nord et Afrique
PÉRIODE : fin du Jurassique, début du Crétacé

Remarque : les narines étaient situées haut sur le crâne. Sans doute pour ne pas se fourrer des branches dans le nez, lorsqu'il broutait un arbre.

***Brachiosaurus* était un sauropode.** Les sauropodes sont une super-famille, qui regroupe les familles des brachiosauridés, des diplodocidés, des titanosauridés… Leurs caractéristiques communes : un long cou et une longue queue, une marche à quatre pattes…

STEGOSAURUS ET SES PLAQUES

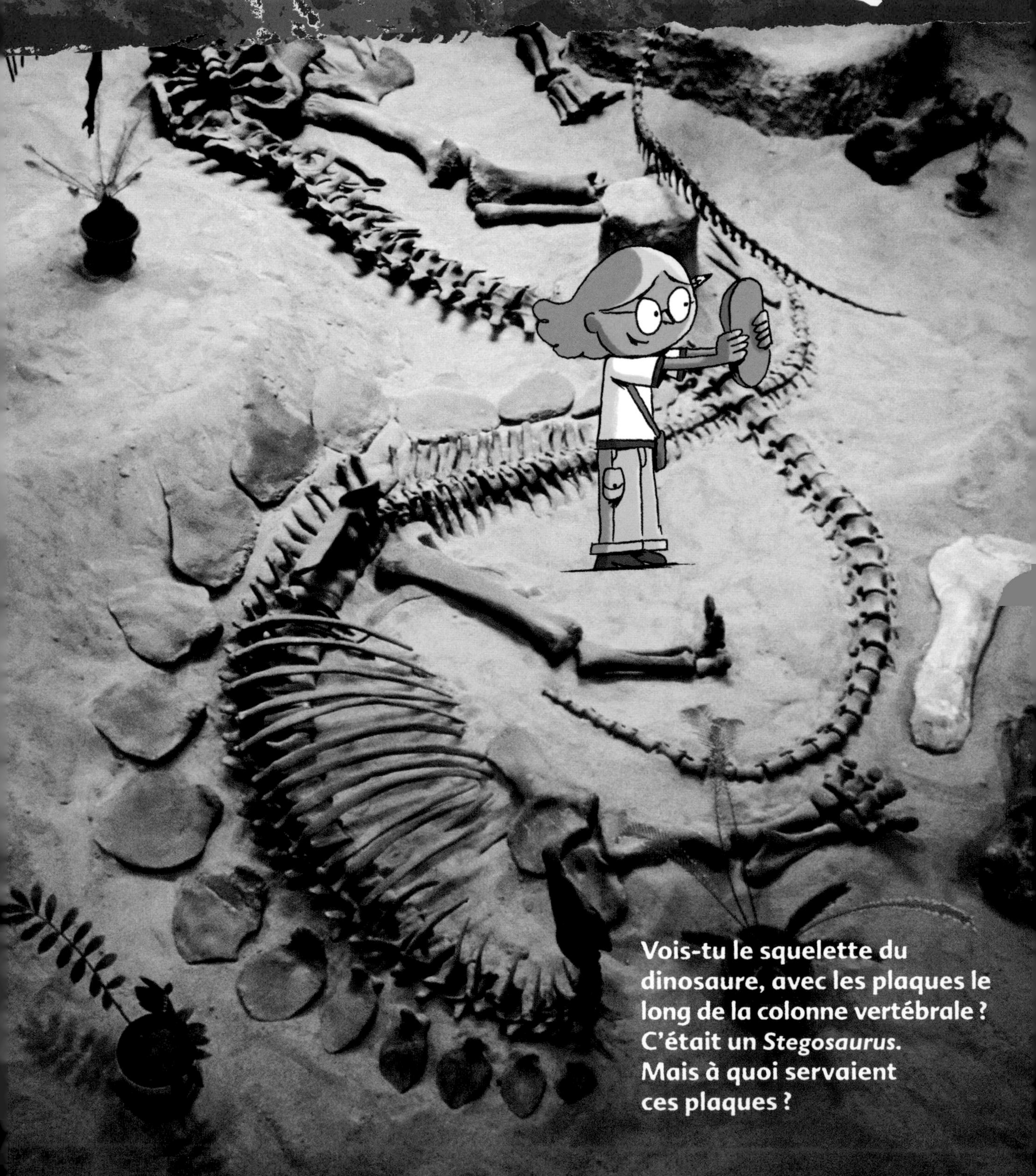

Vois-tu le squelette du dinosaure, avec les plaques le long de la colonne vertébrale ? C'était un *Stegosaurus*. Mais à quoi servaient ces plaques ?

Le mystère des plaques

Stegosaurus mesurait jusqu'à 10 m de long. Lent et vulnérable, il mangeait des plantes basses. Les plaques sur son dos pouvaient atteindre 1 m de haut. Elles n'étaient pas accrochées au squelette mais enfoncées dans la peau.

La disposition des plaques est un mystère. Le découvreur du dinosaure, O. C. Marsh, pensait qu'elles étaient horizontales, comme les tuiles d'un toit. D'où le nom des *Stegosaurus*, « lézard à toit ». Aujourd'hui, on pense qu'elles étaient verticales, disposées de manière alternée sur une double rangée.

L'utilité des plaques est une énigme. Trop fragiles pour servir de bouclier contre les carnivores, elles servaient peut-être de panneaux solaires. Le stégosaure les exposait soit au soleil soit au vent, afin de réchauffer ou de refroidir la température de son corps.

NOM : ***Stegosaurus***
FAMILLE : stégosauridés
LIEU : Amérique du Nord
PÉRIODE : fin du Jurassique

Remarque : contre les prédateurs, le stégosaure avait une arme redoutable : deux paires de longues épines situées au bout de sa queue. Qui s'y frottait s'y piquait !

ANKYLOSAURUS ET SA CARAPACE

Cet ankylosaure était très lent. En cas d'attaque, il ne pouvait se sauver en prenant ses jambes à son cou. Mais il disposait de deux armes très efficaces…

Le bouclier et la massue

L'Ankylosaurus a vécu à la fin du Crétacé, juste avant la disparition des dinosaures. Long de 10 m, il pesait 4 tonnes. Son nom signifie « lézard raide », à cause de sa célèbre carapace.

NOM : ***Ankylosaurus***
FAMILLE : ankylosauridés
LIEU : Amérique du Nord
PÉRIODE : fin du Crétacé

Remarque : *Euoplocephalus* est une espèce d'ankylosauridé dont le nom signifie « tête bien cuirassée ». En effet, même ses paupières étaient en os !

La carapace était formée d'épaisses plaques osseuses insérées sous la peau et hérissées de pointes. Le crâne était lui aussi renforcé par des plaques osseuses et surmonté de pointes. Seul le ventre de l'animal n'était pas protégé : c'était son point faible en cas d'attaque ennemie.

À l'arrière de la queue, des os soudés solidement entre eux formaient une massue. Des muscles permettaient de la balancer à gauche et à droite. Lorsqu'un ankylosaure était attaqué par un tyrannosaure, il lui assénait des coups de massue dans les pattes pour le déstabiliser.

TRICERATOPS ET SES CORNES

Une corne au-dessus du nez, deux autres sur la tête : ce dinosaure avait donc une tête à trois cornes. Aussi a-t-il été baptisé *Triceratops*.

Des cornes et une collerette

Le *Triceratops* avait la taille d'un gros éléphant. Il arrachait les plantes avec son bec de perroquet et voyageait en troupeau : sur certains sites, des centaines de squelettes fossilisés ont été retrouvés. Peut-être, en traversant une rivière, le groupe a-t-il été surpris par la montée des eaux.

La famille des *cératopsidés*, dont fait partie *Triceratops*, a d'autres membres impressionnants. *Styracosaurus* avait une immense corne sur le nez et six autres sur le pourtour de la collerette. *Chasmosaurus* avait un crâne immense : 2 m de long, collerette incluse.

Les cornes servaient à se défendre contre les prédateurs, ou lors des combats entre mâles, pour savoir qui était le plus fort. La collerette en os pouvait avoir plusieurs utilités : protéger le cou, impressionner les femelles, ou encore réguler la température de l'animal.

NOM : ***Triceratops***
FAMILLE : cératopsidés
LIEU : Amérique du Nord
PÉRIODE : fin du Crétacé

Remarque : la forme et la taille des cornes de chaque *Triceratops* étaient différentes. Ça leur permettait sans doute de se reconnaître entre eux.

IGUANODON, LE BIEN CONNU

L'*Iguanodon* est l'un des dinosaures les mieux connus. En 1878, on a découvert trente squelettes complets dans une mine à Bernissart, en Belgique. Cela a rendu cet herbivore immédiatement célèbre.

Bipède ou quadrupède ?

L'*Iguanodon* mesurait une dizaine de mètres de long. Il arrachait les végétaux avec son bec puis les mâchait grâce à ses dents bien serrées. Le pouce de ses pattes avant se terminait par un ergot pointu. Peut-être cela lui servait-il d'arme. Ou bien était-ce un outil pour arracher l'écorce des arbres.

NOM : ***iguanodon***
FAMILLE : iguanodontidés
LIEU : Europe, Afrique du Nord, Amérique du Nord
PÉRIODE : crétacé

Remarque : l'*iguanodon* fait partie d'un groupe de dinosaures appelé « ornithopode » : « ceux qui ont des pieds d'oiseau ». La famille des hadrosauridés, que l'on voit page 16, en fait aussi partie.

Deux ou quatre pattes ? Longtemps, les paléontologues ont cru que l'*Iguanodon* se tenait vertical sur ses pattes arrière, prenant appui sur sa queue comme un kangourou. Aujourd'hui, ils pensent qu'il se tenait presque horizontal en prenant appui sur ses pattes avant pour marcher. Mais il pouvait aussi se redresser pour brouter la cime d'un arbre.

Les premiers dinosaures herbivores étaient petits et légers. Ils marchaient sur leurs pattes arrière. Au cours des millions d'années, des espèces plus grosses et plus lourdes sont apparues. Pour mieux soutenir leur masse, ils se sont mis à marcher à quatre pattes.

LES AUTRES ANIMAUX

Énormes et nombreux, les dinosaures ont dominé le monde pendant l'ère secondaire. Mais ils n'étaient pas les seuls animaux de cette époque. Des petits mammifères vivaient déjà sur terre et des reptiles monstrueux peuplaient les mers et les cieux.

LES REPTILES MARINS

Ce sympathique animal est un pliosaure. Comme les dinosaures, c'était un reptile. Mais lui-même n'était pas un dinosaure : les dinosaures vivaient uniquement sur terre alors que lui vivait dans la mer.

Les dents de la mer

Retour à la mer

La vie est apparue dans la mer, puis les animaux en sont sortis pour peupler les continents. Certains reptiles y sont retournés plus tard et se sont réadaptés à la vie dans l'eau.

Les « lézards poissons »

À première vue, les ichtyosaures ressemblaient à des poissons : même corps, mêmes nageoires… Pourtant, c'étaient des reptiles qui devaient remonter à la surface pour respirer de l'air.

Vrai ou faux ?
Au temps des dinosaures, les poissons existaient déjà.

Vrai. De nombreux poissons côtoyaient les reptiles marins. Ils leur servaient d'ailleurs souvent de repas…

Les géants des mers

Cet *Elasmosaurus* mesurait 13 m de long, dont la moitié correspondait à la tête et au cou ! Quant au *Pliosaurus*, avec ses quatre nageoires et sa gueule immense, il était un redoutable chasseur de grosses proies.

Et les autres…

Certains reptiles marins de l'époque ont des noms connus. Plusieurs espèces de crocodiles, de tortues et de serpents vivaient eux aussi dans les océans.

LES REPTILES VOLANTS

Cet *Archaeopteryx* a vécu il y a 150 millions d'années. Gros comme un pigeon, il ne devait pas voler très bien. Les paléontologues ont longtemps hésité : était-ce plutôt un oiseau ou plutôt un dinosaure ?

À l'assaut du ciel !

Les reptiles planants

Avant de vraiment voler, les reptiles ont plané. *Icarosaurus* était une sorte de lézard du Trias, dont les côtes et la peau du ventre formaient une aile. En sautant d'un arbre, il se laissait planer jusqu'au sol.

Les ptérosaures

Les ptérosaures avaient une peau tendue entre les bras et le ventre. En battant des bras, ces reptiles s'envolaient. Certaines espèces étaient petites comme un moineau, d'autres larges comme un avion de tourisme.

Le sais-tu ?

Les « dragons volants » sont des lézards que l'on trouve actuellement en Asie. Ils grimpent dans les arbres puis se laissent planer, comme autrefois les reptiles du Trias.

Archaeopteryx

L'*Archaeopteryx* avait les dents, la queue, les mains griffues d'un petit dinosaure. Mais il avait aussi les plumes des oiseaux. Il est l'une des preuves que les oiseaux descendent des dinosaures.

Les oiseaux

Des oiseaux existaient déjà au temps des dinosaures. Ainsi, il y a 140 millions d'années, *Confuciusornis* avait un bec sans dents, une courte queue, et il volait parfaitement bien. Un vrai oiseau !

LES MAMMIFÈRES

À l'époque des dinosaures, les mammifères existaient déjà mais ils étaient petits. Ces opossums, qui vivent aujourd'hui aux États-Unis, ressemblent à certains mammifères de l'ère secondaire.

Petits et discrets

L'ancêtre lointain

Les cynodontes ont vécu il y a environ 250 millions d'années. C'étaient des « reptiles mammaliens ». Ils descendaient d'une lignée de reptiles et ont donné naissance à la lignée des mammifères.

Les mammifères

Avec le temps, les descendants des cynodontes ont ressemblé de plus en plus aux mammifères. Animaux à sang chaud, ils avaient de la fourrure et allaitaient leur bébé.

Petits pour survivre

Les premiers mammifères vivaient sous la menace des dinosaures. Pour ne pas se faire croquer, la discrétion était nécessaire. Ils étaient donc petits, les plus gros atteignant péniblement la taille d'un renard.

Vrai ou faux ?
Certains mammifères mangeaient des dinosaures.

Vrai ! En 2004, un fossile de *Repenomamus* a été découvert. Dans l'estomac de ce mammifère de la taille d'un blaireau se trouvaient les os d'un bébé dinosaure, un *Psittacosaurus*.

La « mère de l'aube »

Eomaia, la « mère de l'aube », vivait en Chine il y a 125 millions d'années. Grosse comme une souris, elle mangeait des insectes. Elle ne pondait pas d'œufs mais donnait naissance à des petits.

LES AUTRES ANIMAUX

Cet insecte vivait il y a des millions d'années. Un jour, il s'est empêtré dans la résine d'un arbre. La résine a durci et s'est transformée en ambre. Prisonnier à l'intérieur, l'insecte a ainsi traversé les millénaires, intact.

Quelques animaux

Les insectes

Les libellules, les fourmis ou les cafards existaient avant même l'apparition des dinosaures. D'autres espèces d'insectes sont apparues pendant l'ère secondaire, comme les abeilles après l'apparition des fleurs.

À ton avis

Combien mesurait le plus gros insecte qui ait jamais existé ?

Meganeura est une libellule qui vivait il y a 280 millions d'années. Avec 80 cm d'envergure, c'est le plus gros insecte connu.

Les amphibiens

Les grenouilles existent depuis plus de 180 MA. Les paléontologues ont découvert à Madagascar les fossiles de *Beelzebufo*, une grenouille géante de 40 cm et 4,5 kg, vieille de 70 MA.

Les céphalopodes

En plus des poissons et des reptiles marins, les bélemnites (une sorte de calmar) et les ammonites (un mollusque en spirale) vivaient en grand nombre dans les océans.

Et les autres...

Vers, araignées, scorpions, coraux... De très nombreuses espèces animales ont vécu en même temps que les dinosaures. Mais, à cette époque, la terre était largement dominée par les « terribles lézards »...

LA FIN DES DINOSAURES

Pendant 160 millions d'années, les dinosaures ont dominé la Terre. Puis ils ont brusquement disparu, il y a 65 millions d'années. Pourquoi ?

Plusieurs hypothèses

La météorite

L'hypothèse la plus souvent retenue pour expliquer la disparition des dinosaures est la chute d'une météorite au large du Mexique. Ce caillou géant venu de l'espace aurait soulevé un immense nuage de poussière en tombant sur terre.

Un volcan

Une autre possibilité est l'explosion de volcans géants sur le territoire de l'actuelle Inde. Avec les mêmes conséquences que la météorite : des milliards de tonnes de cendres projetées dans l'air.

N'importe quoi !

Avant que les savants ne comprennent la vraie raison de la disparition des dinosaures, des explications farfelues avaient été avancées : ils n'auraient pas eu de place dans l'arche de Noé, ils auraient mangé des champignons vénéneux, ils auraient été tués par des extraterrestres...

Manque de nourriture

Les poussières envoyées dans l'air par la météorite ou le volcan auraient bloqué les rayons du soleil et refroidi l'atmosphère. De nombreuses plantes en seraient mortes, puis les dinosaures herbivores qui mangeaient ces plantes, puis les carnivores qui mangeaient les herbivores.

D'autres disparitions

Les dinosaures ne sont pas les seuls à avoir disparu : les reptiles marins et volants, les ammonites, le plancton, un très grand nombre d'oiseaux et de mammifères ont également disparu il y a 65 millions d'années.

APRÈS LES DINOSAURES

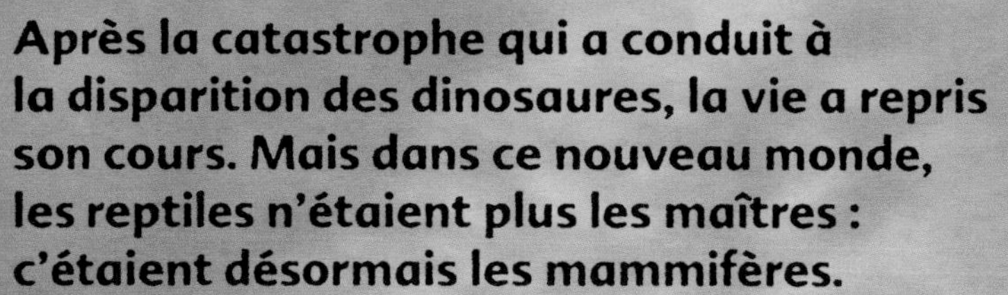

Après la catastrophe qui a conduit à la disparition des dinosaures, la vie a repris son cours. Mais dans ce nouveau monde, les reptiles n'étaient plus les maîtres : c'étaient désormais les mammifères.

Un nouveau monde

Les survivants

Certaines espèces ont mieux supporté les longs mois de froid et de famine que d'autres : celles à sang chaud (oiseaux, mammifères…), celles capables de vivre au ralenti ou d'hiberner (insectes, grenouilles, poissons)…

Les mammifères

Libérés de la menace des dinosaures, les mammifères se sont multipliés, se sont diversifiés et ont pu grandir. Herbivores, insectivores ou carnivores, ils se sont habitués à tous les climats, à tous les continents.

Vrai ou faux ?
On peut faire revivre les dinosaures.

Faux ! Dans le film *Jurassic Park*, un scientifique fait revivre les dinosaures à partir de leur carte d'identité génétique. Dans la réalité, c'est impossible.

Les nouveaux rois

Il y a trente millions d'années, des mammifères géants peuplaient la terre. L'*Indricotherium* est le plus gros qui ait jamais existé. Ressemblant à un rhinocéros, mais sans la corne, il était aussi lourd que cinq éléphants actuels.

L'homme

Enfin, il y a environ cinq millions d'années, des primates particuliers apparurent en Afrique. Les Australopithèques marchaient sur deux pattes, mangeaient des plantes et des animaux. Ils seraient les ancêtres des hommes…

Une grande variété de dinosaures

Les dinosaures n'ont pas tous vécu au même endroit ni à la même époque, et font partie de différentes familles. La preuve avec ces dinosaures-ci :

Velociraptor

Gallimimus

Tyrannosaurus

Brachiosaurus

Stegosaurus

Ankylosaurus

Triceratops

Iguanodon

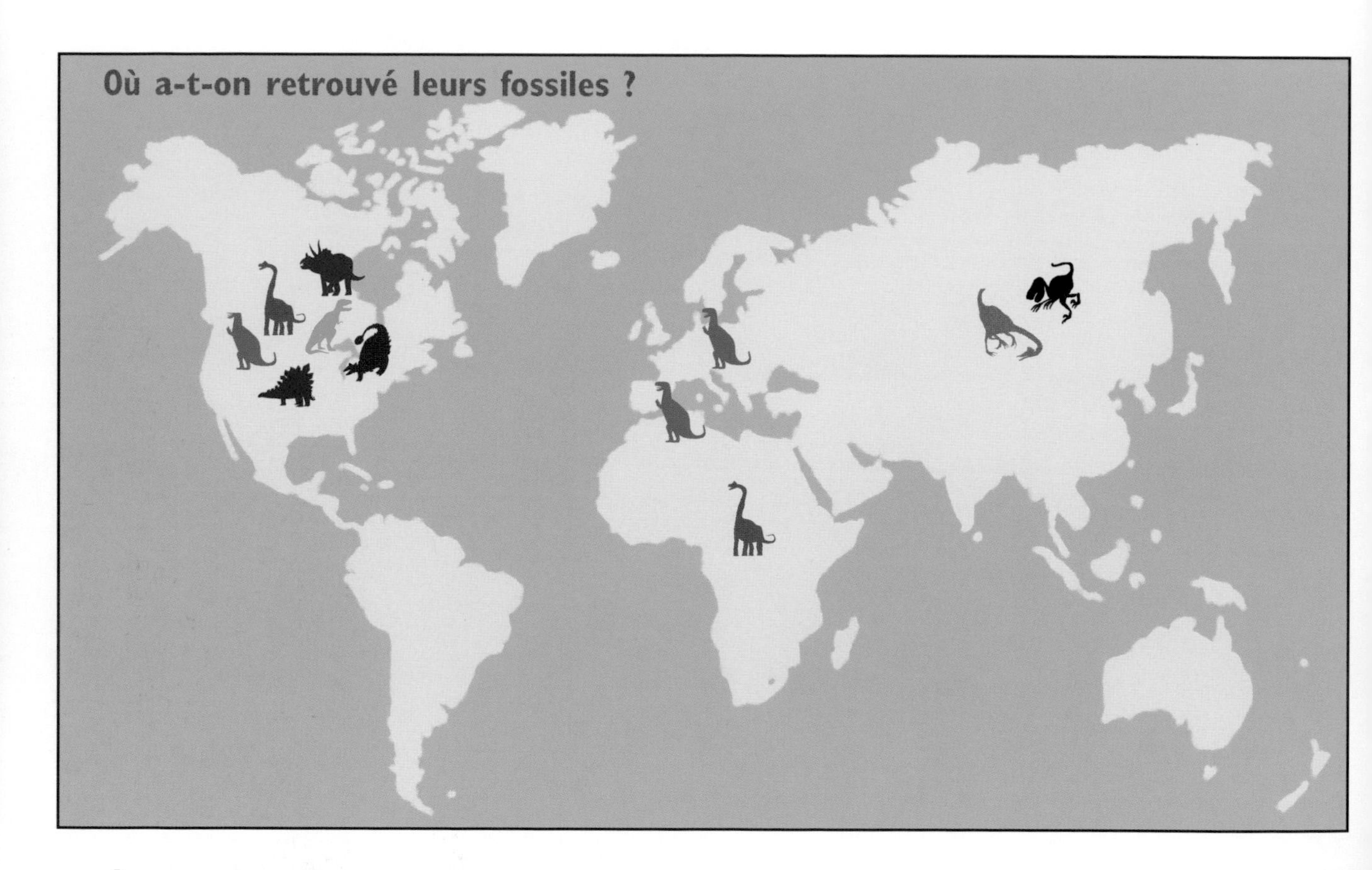

À quelle époque vivaient-ils ?

ÈRE SECONDAIRE

Trias

Jurassique

- 250 MA

- 200 MA

À quelle famille appartenaient-ils ?

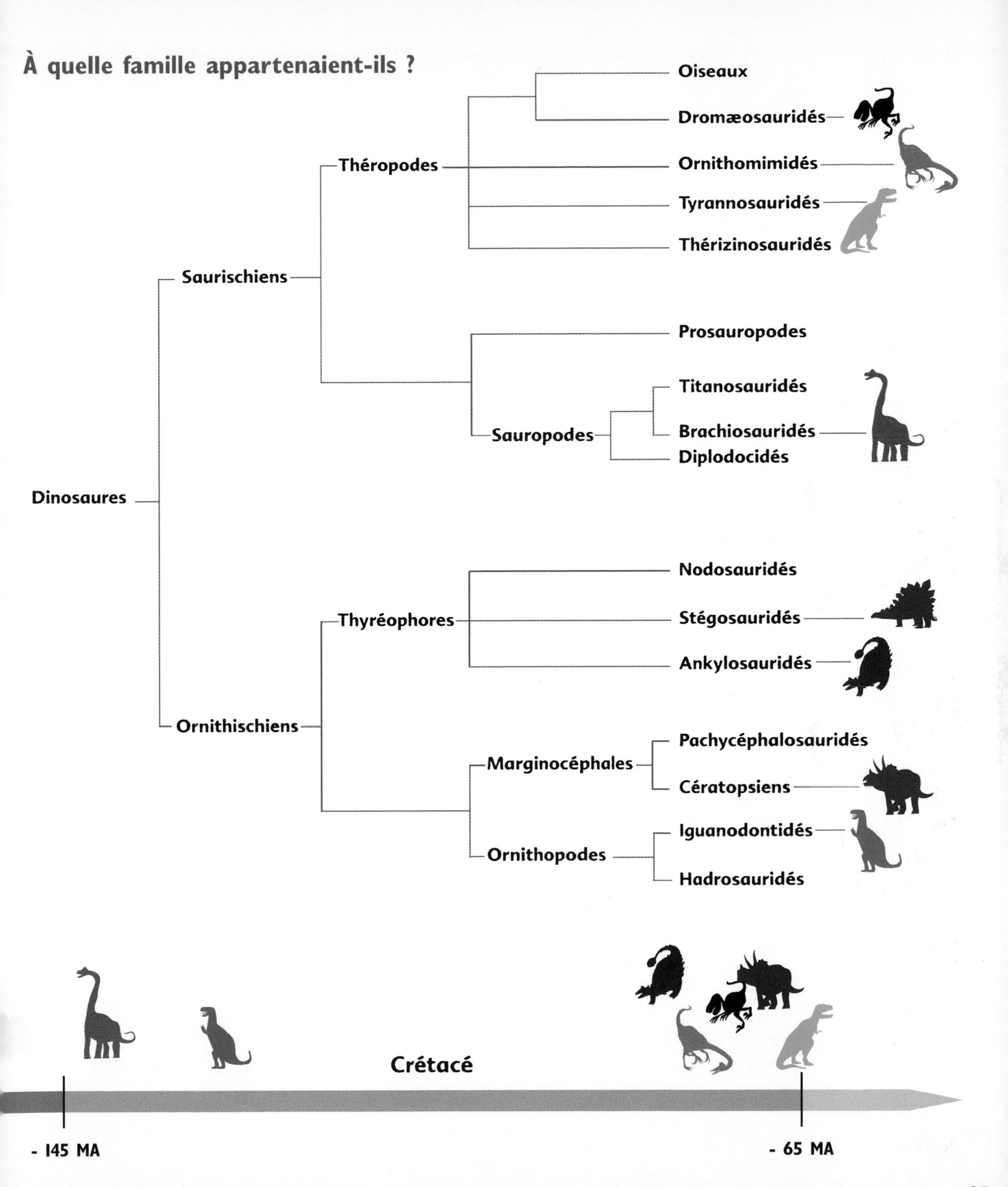

Glossaire

Bipède
Animal qui marche sur deux pattes.

Carnivore
Animal qui se nourrit de chair (p. 42 à 55).

Coprolithe
Crotte fossilisée (p. 11).

Crétacé
Période de l'ère secondaire allant de -145 MA à -65 MA (p. 19).

Dinosaure
Reptile vivant à l'ère secondaire dont les pattes étaient situées sous le corps (p. 13).

Fossile
Reste ou empreinte d'être vivant conservé dans la roche (p. 11).

Gastrolithe
Caillou avalé par les dinosaures herbivores pour les aider à digérer (p. 59).

Herbivore
Animal qui se nourrit de plantes (p. 56 à 69).

Jurassique
Période de l'ère secondaire allant de -200 MA à -145 MA (p. 19).

MA
Abréviation pour « millions d'années ». Par exemple, 65 millions d'années, qui correspond à 65 000 000 années, s'écrit en abrégé 65 MA.

Mammifère
Famille d'animaux qui ont des mamelles. L'éléphant, la souris ou l'homme sont des mammifères (p. 77 et 83).

Nom de dinosaure
Le nom savant donné aux animaux, actuels ou passés, est un nom latin formé du nom de genre *(Tyrannosaurus)* et du nom de l'espèce *(rex)*. Exemple : *Tyrannosaurus rex*. Dans le langage courant, on utilise souvent un nom français pour désigner l'animal : le tyrannosaure.

Omnivore
Animal qui mange de tout, de la viande et des plantes (p. 49).

Ornithischien
Dinosaure dont le bassin rappelle celui des oiseaux (p. 17).

Paléontologue
Scientifique qui étudie les êtres disparus à partir de leurs fossiles (p. 8).

Quadrupède
Animal qui marche à quatre pattes.

Reptile
Classe d'animaux qui regroupe notamment les serpents, les lézards, les tortues, les crocodiles et les dinosaures.

Sang chaud, sang froid
Le corps des animaux à sang chaud garde une température constante, été comme hiver. La température des animaux à sang froid varie en fonction du temps qu'il fait (p. 41).

Saurischien
Dinosaure dont le bassin rappelle celui des lézards (p. 17).

Sauropode
Groupe de dinosaures quadrupèdes et herbivores. Les géants comme le *Diplodocus* ou le *Brachiosaurus* étaient des sauropodes (p. 61).

Secondaire
Ère qui s'étend de -250 MA à -65 MA, au cours de laquelle vécurent les dinosaures (p. 19).

Théropode
Groupe de dinosaures bipèdes. Tous les carnivores appartiennent à ce groupe : *Tyrannosaurus*, *Velociraptor* et autres *Eoraptor* sont des théropodes (p. 45).

Trias
Période de l'ère secondaire allant de -250 MA à -200 MA (p. 19)

À quelle page en parle-t-on ?

Pour voir des fossiles en vrai

De nombreux musées présentent des fossiles ou des maquettes de dinosaures. En voici quelques-uns : le Musée des Dinosaures d'Espéraza (Aude), les Muséums d'Histoire naturelle de Paris, du Havre, de Lille, d'Aix-en-Provence ou de Marseille, les Musées de Cruzy (Hérault) et de Millau (Aveyron), et beaucoup d'autres en France et à l'étranger. Demande à tes parents de se renseigner !

Pour devenir paléontologue

Si les dinosaures et les fossiles te passionnent, tu peux essayer d'en faire ton métier. Pour cela, il faut faire de très longues études à l'université. La plupart des paléontologues commencent par un diplôme en géologie (la science de la terre) ou en biologie (la science de la vie et des êtres vivants), puis se spécialisent en paléontologie. Mais ce qu'il faut surtout, c'est de la persévérance : il y a en effet beaucoup de volontaires, mais très peu de places disponibles…

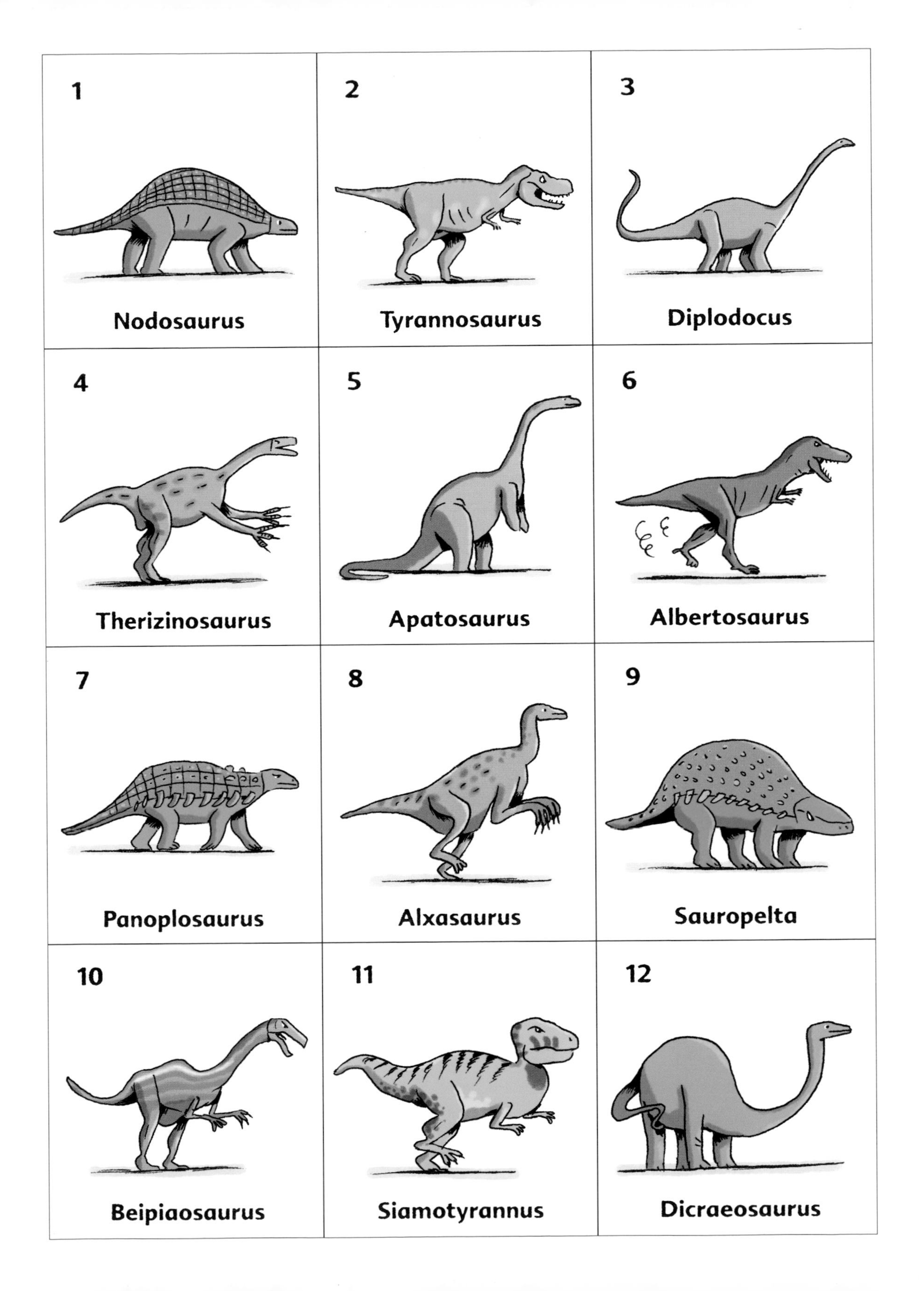
1
Nodosaurus
2
Tyrannosaurus
3
Diplodocus
4
Therizinosaurus
5
Apatosaurus
6
Albertosaurus
7
Panoplosaurus
8
Alxasaurus
9
Sauropelta
10
Beipiaosaurus
11
Siamotyrannus
12
Dicraeosaurus

Crédit photographique

couverture : Martin Dohrn/SPL/Cosmos
P4 : Birke/Phototake/BSIP
P6 : Jeff Lepore/BSIP
P8 : Peter Mason/Taxi/Getty Images
P10 : Olivier Digoit/Bios
P12 : Science Museum/Science & Society/Cosmos
P14 : Levy/Phototake/BSIP
P16 : Susumu Nishinaga/SPL/Cosmos
P18 : Eye of Science/SPL/Cosmos
P20 : Manfred Kage/SPL/Cosmos
P22 : Sidney Moulds/SPL/Cosmos
P24 : Andrew Syred/SPL/Cosmos
P26 : John Durham/SPL/Cosmos
P28 : Dr Jeremy Burgess/SPL/Cosmos
P30 : Agnès Duret/Bios
P32 : Kunkel/Phototake/BSIP
P34 : Susumu Nishinaga/SPL/Cosmos
P36 : Steve Gschmeissner/SPL/Cosmos
P38 : Kage/Doc Stock/BSIP
P40 : Steve Gschmeissner/SPL/Cosmos
P42 : Martin Dohrn/SPL/Cosmos

P44 : Image Shop/Phototake/Bsip
P46 : Kunkel/Phototake/BSIP
P48 : Alfred Pasieka/SPL/Cosmos
P50 : Jean Lecomte/Bios
P52 : CarloDani & Ingrid Jeske/Bios
P54 : Dee Breger/BSIP
P56 : Eye of Science/SPL/Cosmos
P58 : Jean-Yves Grospas/Bios
P60 : Science Pictures Limited/SPL/Cosmos
P62 : Eye of Science/SPL/Cosmos
P64 : Andrew Syred/SPL/Cosmos
P66 : Dr Jeremy Burgess/SPL/Cosmos
P68 : George Bernard/SPL/Cosmos
P70 : Christian Gautier/Bios
P72 : Susumu Nishinaga/SPL/Cosmos
P74 : Andrew Syred/SPL/Cosmos
P76 : Eye of Science/SPL/Cosmos
P78 : Steve Horrell/SPL/Cosmos
P80 : Eye of Science/SPL/Cosmos
P82 : Manfred Kage/OSF/Bios

Retrouve tous les titres de la collection « Kézako » :

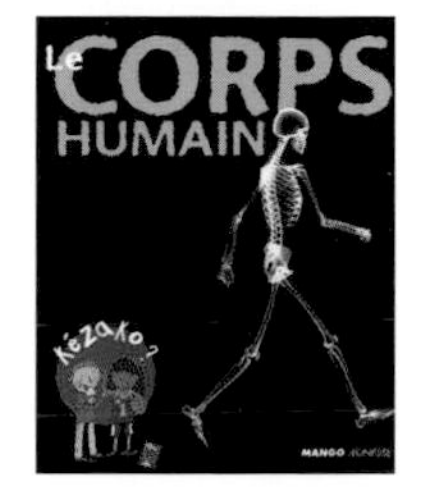

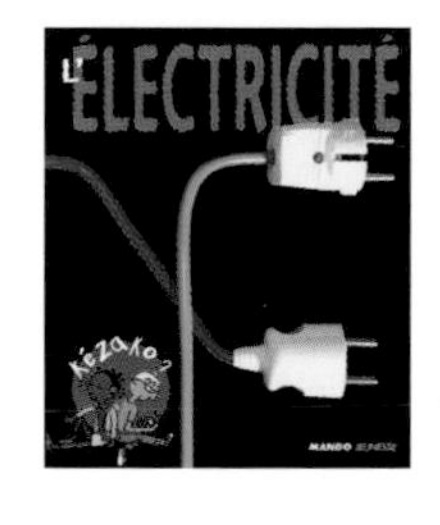